Crônicas de viagem | 3

Cecília Meireles

Crônicas de viagem | 3

Apresentação e Planejamento Editorial   Leodegário A. de Azevedo Filho
Coordenação Editorial   André Seffrin

São Paulo
2016

© **Condomínio dos Proprietários dos Direitos Intelectuais de Cecília Meireles**
Direitos cedidos por Solombra – Agência Literária
(solombra@solombra.org)
1ª Edição, Nova Fronteira, Rio de Janeiro 1999
2ª Edição, Global Editora, São Paulo 2016

Jefferson L. Alves – diretor editorial
Gustavo Henrique Tuna – editor assistente
André Seffrin – coordenação editorial, estabelecimento de texto e cronologia
Flávio Samuel – gerente de produção
Jefferson Campos – assistente de produção
Flavia Baggio – assistente editorial e preparação de texto
Fernanda Bincoletto – assistente editorial
Danielle Costa e Elisa Andrade Buzzo - revisão
Tathiana A. Inocêncio – projeto gráfico
Victor Burton – capa

Obra atualizada conforme o
NOVO ACORDO ORTOGRÁFICO DA LÍNGUA PORTUGUESA.

A Global Editora agradece à Solombra – Agência Literária pela gentil cessão dos direitos de imagem de Cecília Meireles.

CIP-BRASIL. CATALOGAÇÃO NA PUBLICAÇÃO
SINDICATO NACIONAL DOS EDITORES DE LIVROS, RJ

M453c
2. ed.

    Meireles, Cecília, 1901-1964
    Crônicas de viagem, volume 3 / Cecília Meireles; organização Leodegário A. de Azevedo Filho; coordenação André Seffrin. – 2. ed. – São Paulo: Global, 2016.

    ISBN 978-85-260-2261-4

    1. Crônica brasileira. I. Azevedo Filho, Leodegário A. de. II. Seffrin, André. III. Título.

16-30531   CDD: 869.98
                                                      CDU: 821.134.3(81)-8

Direitos Reservados

global editora e distribuidora ltda.
Rua Pirapitingui, 111 – Liberdade
CEP 01508-020 – São Paulo – SP
Tel.: (11) 3277-7999 – Fax: (11) 3277-8141
e-mail: global@globaleditora.com.br
www.globaleditora.com.br

Colabore com a produção científica e cultural.
Proibida a reprodução total ou parcial desta obra sem a autorização do editor.

Nº de Catálogo: **3871**

Sumário

Apresentação – *Leodegário A. de Azevedo Filho*.........11

Visão de Coimbatore.........17

Em Aurangabad.........21

Caminho de Goa.........25

Goencho Saib.........30

Não se pode esquecer............35

Regresso.........39

Todos os caminhos............43

Ares de Bangalore.........47

Cinza e luz de Haiderabad.........51

Sombra de impérios.........55

Barco de poesia.........59

Poderemos dizer adeus?.........64

Imagens do Paquistão.........68

Por falar em turismo.........72

Trem amoroso.........76

Longe vão ficando.........80

Figuras da paisagem.........84

Lisboa, em junho............88

Até Lisboa.........92

O passeio inatual.........96

O miraculado.........100

Índice de Israel.........104

Mapa de Israel.........107

Em redor de Jerusalém.........111

Vozes de Jerusalém.........115

Aldeia das uvas.........119

A inesquecível Asquelon... 123

Um santo.. 127

Pausa antes do deserto.. 129

Para Eilat!... 133

O *kibutz* de Bror Chail....................................... 137

Purim em Tel Aviv.. 141

De Tel Aviv a Haifa.. 145

De Haifa a Nazaré... 149

De Tiberíades.. 153

Sonho em Sáfed.. 156

O habitante de Caracalla...................................... 160

Saudades futuras... 163

[Sem título].. 166

Tempo de regresso.. 169

Rumo a Tel Aviv.. 172

Retratos e adeuses.. 176

Grutas de Ajantá... 180

Vistas de Calcutá.. 184

Amanhece em Calcutá... 188

Transparência de Calcutá..................................... 192

Domingo em Cuttack.. 197

Domingo em Puri... 201

Humilde felicidade... 206

Mil figuras e uma voz.. 210

Contrabando e magia... 214

Tarde na Galileia... 217

Uma aventura formidável...................................... 220

Viagens encantadas... 223

A baía fosforescente.. 225

Canções de Tagore.. 227

Marine Drive... 229

Ares de Lindoia... 232

Janelas de hotéis.. 235

Passeio sobrenatural... 238

Semana Santa... 241

A sereiazinha.. 244

Jardins 247
Por amor a Ouro Preto 250

Cronologia 253

Apresentação

Este é o terceiro e último tomo do volume *Crônicas de viagem* da obra em prosa de Cecília Meireles, conforme o planejamento editorial aqui apresentado e aprovado pela família da escritora e pelos editores. O volume anterior recolheu as suas crônicas em sentido geral, enquanto este foi reservado para a reunião de suas crônicas de viagem, já que percorreu várias partes do mundo, deslumbrando-se com lugares, pessoas e coisas.[1] Por certo, viajar com ela, ou a seu lado, ainda que pela imaginação, significa muito mais do que uma viagem isolada, sem graça, ou sem companhia, embora realizada. Até porque Cecília não era simplesmente *turista*, mas *viajante*, ela própria distinguindo a semântica dos dois termos.

Com efeito, numa espécie de descodificação poética da realidade, ou, se quiserem, do cotidiano, as funções referencial e denotativa estão naturalmente presentes, mas como ponto inicial ou motivador, em qualquer crônica de Cecília Meireles. Contudo, não apenas a função referencial aí se encontra, como elemento integrante de uma estrutura mais complexa, pois o fenômeno da representação literária é compósito, reclamando logo a presença de outros elementos, numa rede de interdependências solidárias. Tais elementos de representação, indo além do ideológico, no caso de base espiritual ou espiritualista, integram ainda em si a dimensão mítica e a dimensão onírica. Por isso mesmo, a linguagem de suas crônicas não se reduz à linguagem jornalística apenas, por ser essencialmente literária. Mesmo quando recorre à memória, facilmente se percebe que a imaginação criadora percola pelo tecido memorialístico, abrindo espaços por onde se infiltra a ficção, que penetra nos interstícios do texto,

---

1 Referência ao plano editorial "Cecília Meireles – Obra em prosa" levado adiante pela Editora Nova Fronteira, entre 1998 e 2001, quando foram publicados apenas o primeiro tomo de *Crônicas em geral*, três tomos de *Crônicas de viagem* e cinco tomos de *Crônicas de educação*, todos com apresentação e planejamento editorial de Leodegário A. de Azevedo Filho. (N. E.)

guiada por suas mãos de fada. E como aqui se trata de crônicas de viagem, que nada têm a ver com a frieza puramente referencialista de exposições técnicas ou relatórios, o texto logo se eleva e atinge plenamente a categoria estética ou literária, induzindo o leitor a viajar com ela, a suave cronista, numa forma de viagem altamente privilegiada, já que é feita ao lado de alguém que sabe reunir, em fórmula mágica ou encantatória, cultura, inteligência e sensibilidade. Assim são as crônicas de viagem de Cecília Meireles, muito pouco turísticas, pois "viajar é uma outra forma de meditar", como a própria autora diz.

A partir da ida a Portugal, em companhia de Fernando Correia Dias, seu marido, nos idos de 1934, viagem de que a família guarda precioso álbum ilustrado, sempre em missão cultural, pois realizou conferências nas universidades de Lisboa e Coimbra, Cecília Meireles visitou vários países: Estados Unidos da América e México, em 1940, onde proferiu várias conferências na Universidade do Texas, traduzidas para o inglês; Uruguai e Argentina, em 1944; Índia, Goa e várias nações da Europa (Portugal, Espanha, Itália, França, Bélgica, Holanda), em 1951, 1952 e 1953; novamente Europa e Açores, em 1954; Porto Rico, em 1957; Israel, Grécia, Itália (1958); novamente Estados Unidos da América, via Peru, em 1959; e novamente México, em 1962. E isso sem considerar as viagens feitas pelo Brasil afora, particularmente Minas Gerais, São Paulo e Rio Grande do Sul.

Neste volume, em forma de crônicas, revela-se toda a rica experiência humana de Cecília Meireles em seu contato reflexivo com as pessoas e com o mundo, ou em seu contato com várias civilizações e várias culturas. Muitas crônicas, entre as que aqui foram reunidas, estão sem indicação de data nos arquivos da família. Outras estão com datas indicadas com a própria letra de Cecília Meireles, ou pelos jornais e revistas que as publicaram. Para o primeiro caso, entre colchetes, sugerimos uma provável data, levando em conta o assunto e a cronologia de suas viagens a países estrangeiros. Assim, se houver erro, não há de ser muito grande. E aqui informamos ainda que houve atualização ortográfica dos textos, desenvolvendo-se abreviaturas e corrigindo-se erros evidentes nos datiloscritos e nos textos impressos em jornais ou revistas, onde há sempre inevitáveis falhas de revisão.

Por fim, considerando-se que a obra em prosa de Cecília Meireles é tão significativa quanto a sua obra poética, mais uma vez ressaltamos aqui a importância, para a literatura brasileira, desta publicação em vários volumes, graças ao investimento editorial da Nova Fronteira, que resgata rico material disperso em revistas e jornais da época. Podem agora os estudiosos de sua obra, em prosa e verso, dispor de farto documentário de pesquisa e análise. Tudo numa forma literária em que a referencialidade inicial ou motivadora da criação do texto não confunde, em momento algum, configuração mimética com simples reprodução homológica ou especular de contextos, pois o que se tem aqui é representação literária no mais alto sentido da expressão. Daí afirmar Darcy Damasceno, na "Introdução" de *Ilusões do mundo* (Rio de Janeiro, Nova Aguilar, 1976, p. 10):

> Registro do mundo circundante, a crônica de Cecília Meireles é também uma projeção de sua alma no universo das coisas. Alimenta-se da referencialidade, das coisas concretas, de fatos e situações que envolvem o ser humano em seu comércio diário, mas matiza subjetivamente tudo isso. No comentário da vida e suas situações risíveis e pungentes, de entusiasmo ou revolta, tem sempre Cecília Meireles uma ironia sem travo ou uma ternura sem excesso, mas que sentimos morna e brotada de uma aceitação maior do mundo e seus desconcertos e do pobre ser humano que se esforça nos labirintos da vida.

Toda a captação poética da realidade, numa determinada época, aqui se encontra, não apenas orientada para várias nações por onde andou e refletiu, como Portugal e Açores, com muito encantamento pelo povo que nos deu origem e de que descende; Estados Unidos da América e México, onde proferiu magníficas conferências sobre cultura brasileira, a todos impressionando pela sua inteligência e sensibilidade; Paris, a eterna capital da cultura no mundo; Roma, onde a arte poreja a cada esquina; Espanha, sempre gloriosa; em suma, Índia, Israel, Goa, Holanda, Bélgica, Suíça, Montevidéu, Buenos Aires... E também pelo Brasil afora, valorizando cada momento de sua vida, em contato com pessoas e diversificadas culturas, em que penetra com olhos de ver. Viajar com ela é conhecer o mundo, deliciar-se com magníficos instantâneos, percorrer grandes universidades europeias e americanas, participar de congressos internacionais, entrar em contato com personalidades de vários domínios da cultura, comer pratos exóticos, conversar com gente humilde do povo, admirar a paisagem e valorizar o tempo humano, em sua grandeza e em sua precariedade. Aliás, quanto à expressão do tempo, um dia ouvimos da própria Cecília Meireles, nos idos de 1963, ao comentar nosso artigo sobre o poema "Cavalgada", estampado no *Diário de Notícias* de 14 de abril: "O presente abarca tudo: o passado e o futuro nele penetram, porque só ele existe". E o poema dizia: "Escuta o galope certeiro dos dias/ saltando as roxas barreiras da aurora." E nós, pelo telefone, ouvíamos a voz de Cecília: "O presente, e só ele, abarca tudo". Por certo, os filósofos da existência, de todas as épocas ou em qualquer parte do mundo, não diriam isso de melhor forma. Nela o passado apenas sobrevive quando influencia o presente; o futuro só é real quando, igualmente, penetra no presente. Tempo, portanto, *é ser no presente*, abarcando a memória do passado e as esperanças do futuro. Não é propriamente a duração bergsoniana, cantada pelos românticos, o nervo criador e artístico de sua expressão de tempo humano na literatura, como não é a mola propulsora do futuro, como queria Ernst Bloch, o tempo que existe. Para ela, como para qualquer filósofo da existência, *tempo é estar sendo,* já que o presente (e só ele!) abarca tudo, como centro ontológico do próprio ser. Veja-se: "Não há passado/ nem há futuro./ Tudo que abarco/ se faz presente." Também em suas crônicas, de complexa expressão temporal, o presente vai ser o tempo que verdadeiramente terá existência, mesmo quando nele se incorpora o passado, numa concepção existencialmente cristã, como o leitor verá, deliciando-se com as páginas maravilhosas deste livro, que nada tem de propriamente turístico ou vulgar, mas apenas de eterno.

Em conclusão, o *antiturismo* (e aqui se espera que o leitor desprevenido ou ingênuo não se assuste com a expressão, aparentemente paradoxal) de Cecília Meireles está bem exposto na crônica "Os museus de Paris", incluída no segundo tomo deste volume, em que se lê: "Tudo quanto aprendi até hoje – se é que tenha aprendido – representa uma silenciosa conversa entre os meus olhos e os vários assuntos que se colocam diante deles, ou diante dos quais eles se colocam." E acrescenta, em seguida: "De modo que o 'cicerone', por mais que grite, não me atinge..." No final da crônica, chega a ser deliciosamente irônica com os apenas turistas: "Alunos aplicados, fizeram todos os movimentos necessários para isso: cabeça para cá, cabeça para lá, meia-volta à direita – e agora, atenção, para a sala seguinte!" Como se vê, antes da leitura deste livro de crônicas de viagem, será preciso atentar bem para a distinção, preliminar, entre *turista* e *viajante*, dando-se ao último termo o sentido profundo que a extraordinária "pastora de nuvens" sempre lhe deu. E boa viagem a todos!

Leodegário A. de Azevedo Filho

Crônicas de viagem | 3

Visão de Coimbatore

Quando vínhamos para o Sul, os amigos diziam-me: "Madura! Tanjore! Não deixe de visitar os templos! Vai ver uma arquitetura inesquecível!" E mostravam-me fotografias coloridas dessas torres impressionantes, desses pilares prolixos, desses tetos trabalhados que constituem uma das glórias artísticas dos velhos tempos da Índia.

O Sul encerra muitas heranças e tradições que se presume serem das mais autênticas – como esse estilo de dança denominado *bhárata nátyam* que, pelo próprio nome, estaria indicando a legitimidade da sua origem índica.

Madura! Tanjore! – Mas quem realizou jamais tudo quanto sonhou? Entre o que se deseja e o que se pode, há um vasto abismo; e a felicidade não consiste, justamente, em contemplá-lo sem tristeza?

Em lugar dos policromos templos, com seus recintos de emaranhada arquitetura, que lembram grutas repletas de plantas e animais fabulosos; em lugar das torres piramidais que representam o esforço do homem em simbolizar o divino, – é a paisagem de Coimbatore que nos recebe, com o claro sol sobre os seus campos de cana-de-açúcar, sobre o seu pequeno porém movimentado bazar, sobre as suas ruas modestas, sobre os seus carros, os seus rios desertos e os seus coqueiros amarelos e sedentos...

Não vou fazer a descrição de um instituto de experimentação de cana-de-açúcar: mas valia a pena fazê-la, para revelar esse aspecto construtivo da Índia, que procura resolver seus graves problemas com recursos próprios, à sua maneira, adaptando às suas conveniências e possibilidades o que a ciência e a técnica possuem de mais avançado em suas conquistas.

O que não me cansarei de celebrar é a modéstia com que esses planos se executam. Tenho razões para acreditar que essa modéstia represente honestidade, em todos os sentidos. E, assim sendo, que grande exemplo para o Ocidente, tão perturbado, nos dias de hoje, e confundindo tão perigosamente, a cada passo, a felicidade do povo com o benefício particular de alguns indivíduos!

Trabalha-se aqui em Coimbatore na obtenção de variedades de cana-de-açúcar que ofereçam ao produtor o maior rendimento, isto é, canas cuja riqueza em sacarose torne a lavoura mais vantajosa, no sentido de atender com presteza às necessidades de alimentação do povo.

É a fim de dar solução a esse problema alimentar de uma população de quase 400 milhões, – num país em que a erosão tem feito crescer os desertos, – que a Índia está procurando ativar, com métodos modernos, a produção de certas culturas básicas, – e para isso estabeleceu estes vários institutos de pesquisa agrícola, de cujas experiências resultam ensinamentos e práticas a serem adotados nos melhoramentos de determinadas lavouras.

Não se pode ver minuciosamente, num só dia, tudo quanto está sendo tentado e realizado, neste instituto. As paredes estão cheias de gráficos, e em cada laboratório o pessoal especializado quer comunicar, com o mais vivo interesse e o mais admirável entusiasmo, o rumo de suas pesquisas e as conquistas de seu trabalho. São, na maior parte, moços formados em grandes universidades, compenetrados da responsabilidade de oferecerem à pátria tudo quanto sabem, para a sua grandeza. (Antigamente, poder-se-ia dizer: são moços com um ideal. Será que hoje em dia se compreende ainda o que isso significa?)

Entre essas longas visitas, entre essas curiosas explicações que vêm da fábula (quando o açúcar ainda habitava o céu) à contagem dos cromossomos e ao fotoperiodismo, há outros deliciosos momentos.

Há, por exemplo, a gentileza desta família que nos recebe em sua casa, onde tudo é genuinamente indiano, a começar pelo brilhante incrustado na narina da dona da casa, uma destas encantadoras senhoras de quem se tem vontade de ficar amiga para sempre. O caril de legumes; o arroz; a conserva de manga verde; o pão que está sendo feito na cozinha, e vem quentinho para a mesa, a cada instante; a minha curiosidade sobre as amêndoas que estão no vidro da conserva, e a moça que me explica: "são só para enfeitar..."; o copeiro que vai e vem, atencioso, afável, tão incorporado à família, tão longe de qualquer atitude mercenária; a moça que come com o dedo mindinho levantado, tal, outrora – ai de nós! – as meninas do Brasil... E este saber conversar, e este saber estar calado; e esta discrição do vestuário; e este modo de sentar, de oferecer o café, de ser milenarmente bem-educado... (Saudade... Saudade "da aurora da minha vida" – ... Casimiro de Abreu numa casa de campo em Coimbatore, num pequeno terraço aberto para um jardim...)

Há uma excursão por um engenho, com o tanque de melado a ferver, as carroças por ali perto, a rapadura em formas de barro, como vasos de plantas... "Um bloco grande assim, quanto custa?" – "Uma rupia". (Com um dólar, poderia comprar quatro blocos e ainda um pedaço. Tenho a impressão de que seria açúcar para o ano inteiro...)

Há o rapazinho do carro que me quer mostrar o bazar, onde os costureiros estão fazendo rodar as suas máquinas, e os doceiros fritam seus bolinhos em enormes frigideiras fumegantes...

E há os jumentinhos dos lavadeiros, carregados de trouxas. Uns jumentinhos cinzentos, de peito esbranquiçado, da altura de uma criança, – da altura da criança que os conduz... E há os carros de bois, com chifres ainda pintados de azul, vermelho, verde, – porque houve recentemente uma festa, e, nessa ocasião, os bois comparecem com os chifres coloridos... (Alguns têm ornamentos metálicos e borlas.)

E há um pequeno templo que o rapazinho do carro me mostra com grande respeito. É que, lá dentro, à noite, um devoto "explica Deus". Fica às ordens de quem o procura para essa explicação. E há sempre quem o procure: Deus é o permanente sonho da Índia, em todas as direções.

Mais adiante, são as mulheres, que voltam, com o entardecer, carregadas de vasos dourados: foram buscar a água tão longe, tão longe! – O leito do rio ali está: completamente seco. Uma vala de poeira, sobre a qual os coqueiros se inclinam, quase secos, também...

Ainda mais longe, sobre um céu de mil cores, a torre de um templo. E, à entrada, à sombra de uma destas velhas árvores que imprimem à Índia seu ar maternal e bucólico muitas crianças reunidas em torno de uma mulher que lhes conta qualquer coisa de extremamente interessante, dada a atenção com que a escutam. (Quem pudesse parar, e ficar sentado, também, e acompanhar a narrativa!...)

Mas o carrinho vai rodando... Iremos ver as fábricas de tecidos? Iremos ver, ao menos, os tecidos fabricados?

Eis os sáris mais diversos em cores, padronagens, qualidade... Os de algodão, muito simples – e lindíssimos – de tecido liso, apenas ornados de uma ourela de outra cor, e com desfiados e bordados na barra que se deita para o ombro. Os de seda, com todas as combinações mais imprevistas, que tornam a tela furta-cor, e dão à orla delicados desenhos. Os de gaze, que deslizam nos nossos dedos quase impalpáveis... (Pensa-se na admiração dos romanos por estes panos orientais – togas de vidro, vento tecido, névoas de linho...)

A noite desce de mansinho sobre Coimbatore. As luzes, as pequenas luzes dentro das casas e ao longo dos bazares, parecem vaga-lumes, tão trêmulas, humildes, ao alcance das mãos...

Ah! quem pudesse ser, ao mesmo tempo, pobre e feliz, simples nas coisas da terra, transbordante nas da alma...

O homem que cuida do alojamento mostra-nos o seu caderno: os viajantes que passam deixam-lhe algumas rupias, para a educação do filho. Estas calmas palavras, sob as árvores, têm um som muito antigo, como no princípio dos tempos... Como apenas sonhadas...

(Os sonhos, aqui no alojamento, são velados por mosquiteiros de filó grosso.)

Rio de Janeiro, *Diário de Notícias*, 6 de fevereiro de 1955

Em Aurangabad

Às três da tarde, no aeroporto do Aurangabad, o calor é tão grande que nem posso dizer como seja a paisagem: tudo fica ofuscado por uma espécie de bruma luminosa; e até as criaturas que se aproximam de nós, e amavelmente nos acolhem, não parecem viventes, mas sonhadas.

Fomos de Haiderabad a Bombaim, num voo de duas horas e meia; em pouco mais de uma hora de voo, viemos de Bombaim até aqui. (Quem pode deixar [a cidade de Aurangabad] sem visitar as famosas grutas de Ajantá? E este é o caminho para alcançá-las.)

Nada mais agradável, em meio a todo este fogo a descer do céu e a irradiar da terra, que a visão do hotel que nos espera: uma tentativa de jardim, malgrado a aridez do chão, – uma clara escada, – uma larga varanda, – uns bonitos cretones floreados... Que mais podemos desejar, neste quarto tão confortável? Só falta, mesmo, uma coisa: água. Água, – um dos grandes problemas da Índia, que o governo está atacando com todos os recursos técnicos. Porque a erosão tem devastado o país – e o deserto veio avançando, e – pelo menos agora, que é a estação seca – tem-se a impressão de que todos os rios se esconderam e todos os poços deixaram de existir, aqui no Decão.

Muitas criaturas diligentes estão, porém, trazendo – de onde? – a água que nos falta. Jarras, vasilhas, baldes passam, a nosso serviço, enquanto descansamos na varanda, como no convés de um navio, vendo ao longe, no esfumado céu, que já vai tomando cores crepusculares, o perfil do monumento que Aurangzeb mandou construir: essa réplica do Taj Mahal, que não tem, no entanto, o esplendor, a graça, a poesia daquela joia de mármore que floresce em Agra, à beira do Jâmuna, como um lótus branco.

Antes do anoitecer, um jovem casal nos vem buscar, para um passeio pela cidade. Não importa que a estrada seja poeirenta, que a cidade não apresente grandes atrações imediatas: esta moça que viaja conosco é exatamente como um raio de lua, assim envolta num fino sári todo branco, que, a cada movimento de seu braço, alonga no ar uma asa transparente.

Há quase 250 anos morreu Aurangzeb, cujo nome ficou impresso nesta cidade de Aurangabad. Seu longo reinado, que, assim, à distância, nos parece tão cruel, é um desses acontecimentos históricos que provocam, ao mesmo tempo, curiosidade, admiração, horror. Não teve aquela grandeza do avô Acbar, nem a sensibilidade artística de xá Jahan, seu pai. Nasceu guerreiro. Tudo quanto fez foi batalhar. Assusta um destino assim, sobretudo quando se conhecem tantos dos seus pormenores, desumanos ou inumanos. Mas destino assim poderoso é uma espécie de genialidade.

Olhando de perto este túmulo que Aurangzeb mandou elevar para sua mulher, logo se pensa nos sentimentos que o teriam impelido a construir obra tão semelhante à que seu pai – por ele aprisionado no forte de Agra – pacientemente mandara levantar, num trabalho de vários lustros, à memória da muito amada Muntaz Mahal. Que secreta rivalidade existiria entre o filho guerreiro e o pai artista? (E pensar que esse pai o amava tanto, e até lhe mudara o nome de Mohammed para Aurangzeb que quer dizer "ornamento do trono"! – Eternas histórias de pais e filhos que, como se diz nas *Mil e uma noites*, mereceriam ser gravadas com uma agulha dentro dos olhos, para ensinamento do mundo!...)

No entanto, este monumento parece bem a sombra, apenas, do outro... O granito, que aqui está, onde no outro tudo é mármore, dá-lhe uma fisionomia severa, triste, quase diríamos – culposa. Nenhuma daquelas sugestões de Agra; daquele ar de magnólia, dos zimbórios; daquela branca fosforescência das paredes. É um monumento fosco, um arremedo, que faz refletir sobre a beleza, suas origens e desfigurações.

Por mais que esta amiga circule, como um raio de luar, por mais que se mova a asa branca do seu sári, em redor destas pedras, não se levanta daqui o encantamento que transfigura o contemplador do Taj Mahal. Nenhum milagre nos arrebata, nos faz levitar, ao lado destes escuros torreões, destas pesadas portas...

Apenas, numa plataforma, um grupo nos detém o passo: uma mulher, sentada no chão, conta histórias a umas seis ou sete crianças extasiadas. Tudo já meio desfeito pela noite: as roupas, os rostos, os movimentos... –, como essas fotografias muito antigas, que já não se reconhecem bem. Muito antigas devem ser também as histórias – quem as entendesse! – mais antigas que o túmulo que vamos deixando para trás, na silenciosa noite.

Uma noite poderosa de estrelas, esta noite que cresce em Aurangabad! Nenhum vulto de passante ou de veículo. Esta solidão cálida, palpitante, inquietante. O rumor dos nossos passos na areia. Uma contida emoção. (Qualquer palavra fica vulgar, numa hora destas, num lugar destes. O ar é de uma substância como isso que chamamos alma.)

Vamos parar num sítio prodigioso, onde existem umas águas – explica-me esta moça lunar – que ninguém sabe de onde vêm. Prestamos atenção a esse sussurro, que vai tecendo música na sombra. Depois avistamos o imenso tanque, vemos a onda borbulhante que dentro dele dança e canta como uma prisioneira feliz. Caminhamos assim entre pedras, águas e plantas e o mistério dessa água encantada. E, naquela frescura, velhíssimos muçulmanos sonolentos, sentados em algum degrau, encostados a alguma parede, levantam para nós um olhar muito antigo, e parecem sobreviventes dos velhos exércitos, das remotas campanhas, que não podem entender quem somos, com esta voz, com este passo, a esta hora da noite, por estes lugares seus.

Da varanda tranquila do hotel, tornamos a avistar, ao longe, o perfil do túmulo – aquele palácio de pedra, com seus torreões, suas portas, seu silêncio, sua história.

Mas agora fala-se de outras coisas: dos tecidos de Aurangabad. Telas de prata, com motivos de seda incrustados: lótus, borboletas, pássaros. Brocados especiais – a que chamam *imbru* – com primorosos desenhos e inesperadas combinações de cores. Filigranas de prata: joias, objetos, ornamentos. Trabalhos de marfim rendado: caixas, colares, broches. Esculturas. Tudo isso está por aí, em pequenas casas, em modestíssimas oficinas, onde o artesanato tradicional se perpetua, indiferente à pobreza geral.

É preciso que se veja essa resistência tremenda da arte, apesar do tempo, das transformações políticas, das dificuldades econômicas, de todas as coisas hostis, capazes de fazerem desistir o homem de uma atividade quase puramente poética. Ou talvez por ser assim quase poética, apenas, é que essa atividade resiste. Ela ignora o resíduo material do tempo. Os imperadores passaram. Outras figuras lhes sucederam. Aquele sangue das guerras perdeu-se nessas areias, nessa claridade do sol e da lua. As pessoas têm outros nomes. Os passantes são outros. Mas a voluta da flor, mas o perfil do leão, mas a eternidade da estrela estão sendo repetidas na prata, na seda, no marfim; e entre os olhos do artista e o seu tear e as suas pinças e os seus buris há um diálogo de amor que nenhum acontecimento efêmero perturba. Que as roupas sejam andrajos, o ambiente, de completo despojamento; a comida, modestíssima; o sono, breve, – o artista não está pensando em nada disso; nós é que pensamos por ele, que pensamos nele. O artista está vendo a curva do elo da corrente de prata; o fio que vai desenhando e fazendo viver animais, flores, arabescos; e o marfim que se vai tornando aéreo, todo recortado e esvaziado, em contas, corações, pequenos jardins brancos onde as plantas vicejam e os pássaros despertam.

Mas um pouco mais longe, para o lado do norte, à margem escarpada de um rio, estão as grutas de Ajantá, – santuários e mosteiros budistas que remontam a dois séculos antes de Cristo. Um mundo fabuloso de arquitetura talhada na rocha, com primorosos murais, colunas pintadas, esculturas impressionantes de vida e emoção. Fala-se nisso a meia voz, deslumbradamente.

Esperamos que termine a noite, esse muro estrelado que nos separa do dia seguinte. Uma grande tranquilidade envolve o hotel, a sua varanda, a sua escada, o seu jardim. Uma tranquilidade que se estende até o horizonte, até o negro recorte do túmulo. Se uma folha cair na areia, poderemos ouvir a sua queda – agora que parou a última gargalhada ocidental. (Uma gargalhada que, aqui, parece bárbara.)

[3 de abril de 1955]

Caminho de Goa

Das grutas de Ajantá voltaríamos a Bombaim, e encerraríamos este circuito da Índia, se não recebêssemos das autoridades portuguesas amável convite para uma visita a Goa.

> Ao norte de Gokarna fica um *kxetra* (lugar sagrado) de sete *yojanas* de circunferência, e no qual está situada Gová-puri, que destrói todos os pecados. Pela simples vista de Gová-puri, fica destruído qualquer pecado cometido na existência anterior, como a escuridão que desaparece ao nascer do sol. Até o voto de tomar um banho em Gová-puri é bastante para se adquirir uma situação elevada – (noutra vida). Não há, certamente, outro *kxetra* que se possa comparar a Gová-puri, onde se encontram muitos brâmanes profundamente versados nos Vedas e Vedantas, e onde todos os brâmanes se dedicam aos seis karmas e a trazer subjugadas as paixões por meio de mantras, ervas, penitências e *yoga*.

Isso é o que dizem os *Puranas*, esses velhos escritos hindus do IV ou V século, a respeito de Goa, a antiga "povoação pastoril" (Gová-puri) do Concão meridional, banhada pelo mar da Arábia, e emoldurada em cordilheiras e rios.

Desses tempos para cá, muitas coisas aconteceram em Goa, – o que não impede que ainda tenhamos esperanças em perder todos os pecados, assim que sobre a sua paisagem pousarmos os nossos olhos.

Enquanto nos preparamos para tão alta indulgência, percorremos o mapa da região, e perdemo-nos na sua geografia musical. Conselhos, freguesias, aldeias têm nomes como estes: Perném, Sanquelim, Pondá, Sanguém, Batim, Carambolim, Panguim, Betalbatim, Chinchinim, Cuncolim, Nuvem, Orlim, Dargalim, Tamboxém... às vezes, muda a música, e há Chandor e Margão, Assonorá, Mormugão, Caranzol, Uagão, Darbandorá, Mandur...

Há coisas mais complicadas: Carambolim-Bazuruco, Xelop-Curdo, Chic--Xelvona e Loliém, Polém... E há coisas mais simples: Reis Magos, Salvador do Mundo, São Brás, São Pedro, São Matias...

Mas o conjunto é aquela zoada de guizos rítmicos, que desce pelos rios: Araundem, Siquerim, Mandovi... e sobe pelas montanhas: Chorlem, Querim de Santari, Morlenchó dongêr...

Gová-puri, povoação pastoril, devia ser um lugar de festas campestres: suas campanhas estão pelo mapa, e em cada palavra que se lê há um movimento de dança. Não se pode deixar de ir a Goa.

Toma-se, pois, um barco, em Bombaim, que é, por definição, *warm, warmer and warmest*. O azul do céu funde-se no ouro do sol e na bruma da umidade! Molemente deslizamos dentro do imenso aquário ardente.

O mar é o mar da Arábia, – e o barco bem podia ser o de Simbad. Grande vozerio no cais; os carregadores seminus, com as bagagens às costas, hindus de *dhoti*, mulheres de sári, ocidentais com estas nossas roupas inadequadas ao clima, parses de barba e casaca negra, e alto barrete cômico; turbantes coloridos de – *sikkhas*...

Fala-se inglês, marata, urdu, – e também concani e português, línguas de Goa. Os carregadores reclamam pagamentos, fazem tumulto, ficam muito feios com os olhos arregalados, a deblaterarem na sua linguagem – que não entendemos – e logo aparece alguém do barco para estabelecer a paz com violência: murros, empurrões, os carregadores pelo barco abaixo, as rupias a rolarem pelo chão, o suor a brilhar, os gritos a perderem-se na sonolência do mar e do céu, – o barco a levantar ferros, e o sol a viajar conosco muito bem instalado em todos os camarotes, e no convés, de ponta a ponta...

Sai-se de Bombaim às sete horas da manhã para chegar-se a Goa no dia seguinte, depois do meio-dia. Bombaim vai fugindo, aos nossos olhos, e, banhados do fogo, um fogo matinal, que não promete apaziguamento, recordamos já com saudade o mormaço da nossa janela do hotel, a morna viração da praia, o suor das festas sob o plácido céu estrelado...

Por mais encantador que seja o convívio a bordo, somos como um grupo alucinado que conversa, come, bebe sucessivos refrescos, e espera pela noite, na esperança de um sopro vindo do mar, da terra ou do céu, – e de um pouco de sono, no desafogo do camarote, na inverossímil viagem que nos reúne tão longe, como numa antiga aventura.

Mas o sono é difícil, a uma temperatura destas: nem do céu, nem da terra, nem do mar vem o mais leve sopro. A noite é feita de estrelas, águas negras, e a palpitação das máquinas, enorme coração de ferro sob o nosso pequeno coração.

Levada nesta torrente calma e cálida, ponho-me a recordar coisas do presente e do passado, e na ardente sombra levantam-se vultos, e rostos inesperados se inclinam para o meu.

A segunda classe do barco, não a posso esquecer – é como um tapete humano, de corpos alastrados, – velhos, crianças, mulheres, – nas suas esteiras, com suas roupas coloridas, seus alimentos típicos – arroz, frutas, grãos... Quando passei por eles, uns levantaram os olhos para mim: esses inesquecíveis olhos orientais, que, contemplados de certo modo, nos oferecem – pura e clara – a visão do princípio e do fim das coisas, do princípio e do fim dos homens, – e da eternidade divina, – outros continuaram com as pálpebras discretamente abaixadas, numa serenidade imensa, naquela pobreza que os cercava.

Depois, vêm as imagens dos livros percorridos por São Francisco Xavier, descalço, de cruz na mão, a doutrinar os povos da Índia; São Francisco a derramar-lhes pela cabeça a água do batismo; São Francisco perseguido a flutuar numas tábuas, com o sol a nascer ou a morrer no horizonte; São Francisco em agonia, numa praia, com grandes anjos que o amparam, e muitos anjinhos pequenos sentados em nuvens redondas, – e um barquinho que vem chegando, muito devagar...

Também Afonso de Albuquerque se levanta na noite. Apenas para murmurar seu desgosto final: "mal com el-rei por amor dos homens, e mal com os homens por amor d'el-rei".

Comparece dona Maria Úrsula de Abreu e Lencastre, que, quase adolescente, sai do Rio de Janeiro para Lisboa, e de Lisboa para a Índia, a combater, vestida de homem, com o nome de Baltasar do Couto Cardoso, como no velho romance:

Ai de mim, que eu já sou velho,
As guerras me acabarão,
Sete filhas que eu tenho,
Sem ter um filho varão!

Responde a filha mais velha
C'uma grande espertidão:
Venham armas e cavalos.
Serei seu filho varão!

– Tende-lo cabelo grande,
Filha, vos conhecerão.

– Venha cá uma tesoura,
Vereis caí-lo no chão...

Nem falta Bocage, que os fados também trouxeram a Goa, depois de uma breve passagem pelo Brasil, e que havia de tornar-se amigo de frei Veloso, – "Oh das Musas fautor, de Flora aluno" – o grande botânico primo de Tiradentes.

Quando chegarmos a Goa, serão suas as primeiras palavras que veremos na água escritas:

À foz do Mandovi sereno e branco,
Alicuto infeliz estava um dia,
Amorosos queixumes espalhando!

Alicuto, o Marítimo, que ardia
Por Glaura, das Nereidas a mais bela
Que em vitrea lapa sem pesar o ouvia...

Sobre as palavras do poeta subirão as saudações que os portugueses sempre sabem fazer aos brasileiros. Rostos até aqui desconhecidos far-se-ão conhecidos e familiares: e nestas águas do Oriente, e ao som destas vozes, estaremos na mesma aventura marítima de que nasceu o Brasil.

E como não se viaja apenas neste barco, mas ainda muito mais em memória e imaginação, é uma voz amada, uma voz guardada na infância que murmura entre os rumores do festivo desembarque: "Cata, cata, que é viagem da Índia!"

E senhor, quen algua vez
Com quaes olhos vos catey
Vos catasse...

Rio de Janeiro, *Diário de Notícias*, 1º de maio de 1955

Goencho Saib

A paisagem de Goa, como a do resto da Índia, assemelha-se extremamente à do Brasil: agora, com a língua falada em redor, tem-se a impressão de uma repentina chegada à pátria. Aliás, este português que se ouve já é bastante "açucarado", como o nosso, o que aumenta a ilusão. Naturalmente, é o português dos goeses. Há o outro, das autoridades e dos funcionários do governo, com a sua música própria. Da língua nativa, só sei que é o concani a mais popular, embora também se escreva e fale o marata.

As águas do Zuari e do Mandovi, que abraçam a ilha, são espelhantes e ardentes; mas a sua amplidão e o suave azul do céu causam uma sensação de descanso, quase de frescura, que compensa a viagem febril da véspera.

O meu primeiro assombro é pela resistência dos portugueses a este clima sustentando os seus hábitos europeus; o segundo, o número de jornalistas – amabilíssimos, todos – que vêm ao meu encontro. Quanto a isto, nem por um momento me iludo: não é de nós, propriamente, que se trata, mas do Brasil. Até em verso já o disseram:

Canta a terra e canta o mar,
À espera do Brasil
Que visita Portugal.

E num soneto já nos tinha outro poeta escrito:

Eu te saúdo em terra portuguesa,
Beijando humilde as tuas mãos de luz.
E em mim é Portugal que se ajoelha
(História sempre nova e já tão velha),
E rende, em ti, seu preito a Vera Cruz.

Mas, além desse festivo encontro de portugueses e brasileiros, Goa tem razão de grande alvoroço: acaba de chegar um novo governador geral, pessoa de muita simplicidade e extrema simpatia: e ainda perduram, também, nos ares e nas almas, os últimos ecos dos grandes festejos do quarto centenário da morte de São Francisco Xavier, cujo corpo aqui jaz, incorrupto. Temos, pois, a sorte de chegar a uma casa em festa: e o fato de sermos do Brasil nos proporciona um lugar de mais carinho, nesse convívio.

Envolvidos nessa onda de afeto, começamos a prestar atenção aos circunstantes, e não podemos deixar de ouvir os remotíssimos versos, tão verdadeiros:

Rosto singular,
Olhos sossegados,
Pretos e cansados...

E, para as senhoras, bem se poderia continuar a repetir:

Eu nunca vi rosa
Em suaves molhos
Que para meus olhos
Fosse mais formosa.

Assim nesse embalo poético se chega ao hotel, de linhas moderníssimas, construído por um comerciante da terra para os forasteiros do Centenário de São Francisco. Embora ainda não completamente terminado, esse hotel já é muito confortável, e desfruta uma situação privilegiada, bem à beirinha do

Mandovi, onde um pequeno barco vermelho e azul parece ter sido posto de propósito, como um brinquedo de pintor no canto de um quadro.

Ainda não pensei em ter fome, e estou sendo já instruída nas receitas da terra, em "balchão de bilimbins", "caril de solans de bridão", e uma "bebinca de sete folhas" – coisas que começo a amar pelo nome, como outrora se amava pelos retratos.

Há, porém, acima de tudo, o *Goencho Saib*, o "Senhor de Goa", São Francisco Xavier, cuja história, aqui, tem uma ressonância especial, ampliada, no momento, pelas recentes celebrações, que atraíram a Goa milhares de pessoas, de diferentes partes do mundo.

De origem espanhola, educado na França, em missão no Oriente, a serviço de Portugal, tendo vivido entre a Índia e o Japão e morrendo às portas da China, São Francisco Xavier, em dez anos de apostolado, representa um admirável trabalho de aproximação espiritual entre os dois hemisférios. Sua humildade, sua candura, sua profunda vocação para o ofício de acordar almas tornam comovedora a história de sua vida.

Quando chegou a Goa, em 1542, já a encontrou desvairada, em trinta anos de domínio português, pela ânsia de riquezas e prazeres que a conduziria à ruína. Talvez por este tempo é que se dissesse: "Quem vê Goa escusa de ver Lisboa".

Francisco sai pelas ruas, de campainha na mão, a pedir pelo amor de Deus que lhe mandem crianças e escravos para educar. Não se demora muito. Nunca se demorou muito: suas quatro estadas em Goa creio que não chegam a somar dois anos. Vai e vem, atraído pela Malaca, pelo Japão, finalmente pela China, onde não chegaria a entrar.

Todas essas andanças ligadas a ensino, obras de misericórdia, milagres. Atribuem-lhe 24 ressurreições "juridicamente comprovadas". De milagres, há cerca de noventa, em vida e morte.

Embora os pobres, doentes e infelizes gostassem tanto dele, que os consolava e animava; embora grandes personagens o estimassem e seguissem, Francisco deixou Goa, já no ano da sua morte, apreensivo com as possibilidades de entrar na China, pelas complicações de certo capitão que, por histórias com terceiros, lhe havia de malograr os planos. Fernão Mendes Pinto, que viu de perto o santo, e soube de suas amarguras, admirava-se que o rei de Bungo, com ser gentio, lhe dera melhor tratamento que os cristãos de Malaca. É que – Francisco também o sabia – cristãos há muitos; cristianismo, menos.

Depois, é aquela agonia na praia de Sanchão. Primeiro, no barco à espera de um homem que prometera vir buscá-lo e pô-lo, de olhos vendados, dentro da cidade (para, em caso de ser preso, não poder apontar os que o tinham levado até lá); em seguida, a enfermidade, a febre, a solidão, a morte, com a cabeça apoiada ao ombro do servo, e o crucifixo na mão.

Dois meses depois, quando o vão desenterrar para transportar a Malaca, estava tão perfeito que até lhe cortaram a carne num dos joelhos, e sangrou. Cobriram-no de cal, levaram-no para Malaca, onde o tornaram a enterrar, apertando-lhe bem a terra por cima. Cinco meses mais tarde, como o devessem levar para Goa, tornam a desenterrá-lo, – e continua perfeito, apenas com algumas contusões no nariz e no pescoço, pela força com que o tinham apertado na cova.

Quase dois anos depois de a ter deixado, volta, pois, a Goa, em ataúde forrado de damasco, entre músicas e luzes, e meninos com ramos nas mãos a cantarem "*Gloria in excelsis...*" que vêm ao seu desembarque. Embarcações cheias de devotos, procissões pelas ruas, missas, o corpo exposto por três dias ao beijo dos fiéis. E curas miraculosas.

(Em meio a tanta devoção, o episódio de uma senhora que, ao beijar-lhe os pés, com os dentes lhe arranca um artelho, – e, depois, em troca da relíquia, lhe oferece um diadema de prata e pedras preciosas...)

Mas o mais impressionante é a história da amputação do braço direito do santo, por ordem do papa Paulo V, que desejava possuir essa relíquia. Tinham já passado mais de sessenta anos sobre a morte do apóstolo. Levaram-lhe o corpo para uma capela e, à meia-noite, cercado de autoridades eclesiásticas, um irmão leigo levanta-lhe o braço, para cortá-lo. Imediatamente, o chão treme, tremem as paredes, – e a cerimônia é interrompida. Tornam a tentá-la, por duas vezes mais. E sempre esse tremor no chão, nas pedras, em toda a casa... É quando os presentes de joelhos dirigem ao santo uma prece, alegando que cumprem ordem do papa, e falando-lhe de obediência e disciplina. O braço deixa-se cortar. O braço que andara pelas ruas de Goa, a vibrar uma campainha para chamar crianças e escravos ao ensino e à religião; que por vezes se cansara de batizar mais de mil pessoas a seguir; que tocara chagas, amparara moribundos, redigira cartilhas...

Deixou-se cortar. Mas sangrou tanto que encheu um vaso de prata e embebeu uma toalha. Vai o braço para Roma, e dizem que o papa lhe mandou pôr uma pena na mão e ordenou que escrevesse o seu nome. Estava o braço pousado numa resma de papel, e contam que, de alto a baixo, em todas as folhas, ficou impressa a sua assinatura. (Parece que desse milagre data o processo de canonização.)

Assim se conta em Goa a história do *Goencho Saib*.

Mais de vinte vezes lhe têm aberto o caixão, para exposições públicas e privadas: ou alguma festa, ou alguma invasão, ou a curiosidade de algum vice-rei de outrora, ou a doença de alguma autoridade... E o corpo incorrupto jaz, desde o século XVII, num mausoléu maravilhoso que, para retribuir uma almofada em que repousou sua cabeça morta, lhe ofereceu um duque da Toscânia: mausoléu de mármore e jaspe, onde descansa um ataúde de prata rendilhada, com a história do santo debuxada em pequenos painéis, entre delicadas colunas, anjos, pinhas, florões, tudo entremeado de variadas pedras preciosas.

Como nas altas montanhas, onde o céu mais puro mostra melhor as estrelas, nestes lugares da Índia as coisas do espírito cintilam com um esplendor que o tumultuoso Ocidente empana. Ao *Goencho Saib*, cantam na língua da terra:

Ojiapanches Sant Francis Xaviera
Milagrinchia tum Bhocta Vodda dotora...

É um santo enfeitado de louvores poliglóticos: da Espanha que o viu nascer, da França que o viu estudar; de Portugal que o viu servir; de Roma que o viu obedecer; e deste Oriente de mil idiomas, que o viu amar a triste criatura humana em todas as suas imperfeitas linguagens.

Parece que agora não abrirão mais o seu túmulo. Descansará, por fim, para sempre, entre os seus anjos de jaspe e de prata, neste mausoléu que parece um pequeno bosque de filigrana, inclinado sobre o seu longo sono.

Rio de Janeiro, *Diário de Notícias*, 15 de maio de 1955

Não se pode esquecer...

Não se pode esquecer esta paisagem, tão semelhante à do Brasil: apenas as frondes cobertas de uma espessa poeira, não somente a que os carros levantam, a que os ventos arrastam – que essas as chuvas lavam – mas também a dos séculos, que água nenhuma pode limpar.

Não se pode esquecer o casario: como as vilas mineiras dos tempos coloniais. Telhados recurvos (estamos no Ocidente!), paredes azuis e cor-de-rosa, varandas... E as aldeias típicas, de cabanas baixas, à beira da estrada, com suas coberturas de palha; cabanas que parecem nascer do chão, como a floresta, para o tradicional convívio do homem com a natureza.

Não se pode esquecer que, entre estes verdes turvos, estão os perfumosos cajueiros de que tanto nos falavam em Bombaim; e mangueiras, jaqueiras, jamboleiros, goiabeiras, anoneiras... E que estas hortas e campos – impossíveis de imaginar com esta temperatura, sob este pó, na seca e ardente estação – produzem coisas de comer que se chamam *nachinin, chounil, urid, pacôd*; *mug, tendim, catcongui, chirco*... Nunca verei essas coisas: sei que são cereais, legumes, féculas. Mas talvez nada disso tenha tanta importância para esta gente como o arroz e a conserva de manga, que figuram todos os dias, nas refeições...

Não se pode esquecer que a palavra "tamarindo" tem uma frescura de cascata, nesta hora calmosa. Mãos benfazejas trouxeram-me um punhado de vagens, pardas e torcidas. Ah! mas a polpa não tinha aquela agridoce abundância das antigas recordações. Não, não se podia fazer um refresco! Em todo caso, dava para fazer sonhar, para se atravessar dois oceanos e um continente, e retroceder muitos anos, e ser de novo uma criança debaixo de uma velha árvore, a aprender, com boca de delícia e medo, o primeiro ácido sabor da terra.

Não se pode esquecer este amável convívio: quando no cardápio do almoço entre árvores, chão coberto de folhas de mangueira, mesa copiosa, alguém tem a ideia de incluir este imaginoso prato: "javali fingido", – transportando-nos a um tempo de caçadas que é uma sucessão de gravuras e de sons – desenhos e músicas embaraçados em troncos e ramas agrestes...

Não se pode esquecer que há *mandós*, música da terra, e que um desses *mandós* se chama "*Cicília mujen naum*", isto é: "Meu nome é Cecília". Não se trata de composição recente. Já está incorporada às coleções de cantigas populares de Goa; mas parece-me que ainda se sabe a sua origem, e até o seu autor. A tradução que me deram diz assim:

> Meu nome é Cecília.
> Eu sou uma rapariga industriosa.
> Se tu és industriosa,
> manda-me talhado um casaco.
> Para te talhar um casaco,
> Menino, o meu engenho é fraco.
> Se te talhar um casaco,
> Qual o feitio que me hás-de pagar?
> Dou-te uma pera como sinal;
> Dize-me se queres ou não queres.
> Tu tens usado flores nos cabelos.
> Cecília, chamo-te para o sobrado.
> Os ratos dão saltos.
> Cecília, encolhe as tuas pregas (do sári).

(A cantiga faz-me pensar na fama de bons alfaiates que, como a de bons cozinheiros, circula em toda a Índia, a respeito dos naturais de Goa. Quanto ao preço de uma pera por um feitio de casaco, – embora as cantigas populares costumem ser um reflexo da realidade, – creio que já não vigora, – ou seria um símbolo, ou uma tratantada com a pobre moça industriosa chamada Cecília.)

Não se pode esquecer a graça destas pequenas bailarinas, tão frágeis nos seus sáris vermelhos e amarelos a baterem pauzinhos, a arregalarem os olhos, a torcerem o pescoço, nas várias expressões da dança clássica. Dançam e cantam à sombra das árvores como flores que brincassem.

Não se pode esquecer também a dança dos templos, num ambiente arquitetônico repleto de significações, onde as deusas jazem profundamente resguardadas em seu santuário, que apenas de muito longe o forasteiro pode vislumbrar a um reflexo de espelho...

Não se pode esquecer o Palácio do Cabo, no alto de uma escarpa, à entrada da barra de Mormugão: e o guarda, à porta, soleníssimo, com suas roupas amarelas, tal qual um desenho oriental da Idade Média; e a sineta a marcar a chegada dos convidados; e toda a sociedade de Goa a subir até os salões em que o governador geral e sua família promovem este afetuoso encontro de Portugal, Índia e Brasil.

Não se pode esquecer esta curiosíssima casa particular, em Loutulim, que é como um museu a surgir da mata: com estes cristais, estas louças, estes vasos da China e do Japão, estes móveis torneados, rendilhados, marchetados, todas estas coleções surpreendentes, em lugar tão remoto...

Não se pode esquecer a recepção em cada templo hindu: os colares de flores pelo pescoço, as palmas de flores, como um pequenino leque perfumoso, enredado em fios metálicos; o cortejo com música e pálio, chuva de pétalas, grandes olhos pensativos em redor de tudo; para-sóis, palmeiras; o tesouro das deusas em seu mostruário com enormes diamantes de luz plúmbea no corte raso; e a amável coleção de frutas, grãos, doces; e o *Suami*, prelado hindu, que se vem sentar no trono, e ali fica sem dizer nada, envolto numa ampla roupagem, – postura búdica, olhar imóvel, o turbante pequeno um pouco descaído para o lado esquerdo.

Não se pode esquecer o *zig-mó*, este carnaval de pulos e marchas, com homens de túnica até o chão, paus, tambores, danças, poeira, sol, árvores baças, montanhas em redor...

Não se pode esquecer esta amostra de "brincos", em que os atores se vestem de mulher, e representam, cantam e dançam as suas próprias composições.

Não se pode esquecer, entre muitos cardápios, este, especialmente expressivo: entradas goesas, delícia de amêndoa do coco. Canja de galinha. Apa de camarão. Arroz e caril de galinha, e de "sambar" com doze "matadores". Má língua... sem ser de Goa. Bebinca de sete folhas – eles e elas vão (*alebelés*). Vinhos. Urraca de caju, jamelão. Café. Aguardente de cana.

Não se pode esquecer, sobretudo, a tão celebrada bebinca, doce de ovos, manteiga, amêndoa, coco, farinha de trigo e calda que se divide em sete porções, – as sete folhas sobrepostas na mesma assadeira, à medida que vão tomando consistência, até formarem uma coisa que não é nem *pudim*, nem bolo, nem torta e vagamente se assemelha a um grande bom-bocado disposto em lâminas.

Não se pode esquecer o romantismo do crepúsculo, com a lua a subir, a lancha a correr pelo rio, os camarões a saltarem na espuma, fosforescentes, moças e rapazes a cantarem, e a clara placidez das águas, tão finas e longas, até a transparência do horizonte líquido...

Não se pode esquecer, na recepção oficial, a figura do *ranes* de Sanquelim, pálida imagem de uma antiga realeza, mas ainda com suas roupas de seda cor-de-rosa, seu turbante de veludo, com ar de boina; seu espadim levemente recurvo, em bainha de fantasia. E como se há de esquecer o esplendor de suas densas esmeraldas, nos vários furos da orelha, e o branco bigode que ainda retorcia com uma secular dignidade?

Não se pode esquecer a amplidão de Colvá, praia de imensa areia, com as águas tão longe, e as palmeiras tão altas onde, com todas as companhias, ainda, se sentem grandezas de solidão?

Não se pode esquecer o que se viu nem o que se sonhou sobre tantas visões. Há uma profunda memória no pensamento, e uma profunda memória no coração – e que longos diálogos podem ocorrer, entre elas, diante do largo Mandovi, enquanto São Francisco Xavier, no seu bosque de prata, dorme para sempre, e a vida em Goa se vai aquietando na noite, no sono dos homens, pelos palácios, pelas casas, pelas cabanas...!

Não se pode esquecer o adeus das despedidas. Tão longe é o Ocidente! Quem partirá? Quem ficará? Quem voltará? Caminhamos sobre enigmas. Nós todos, por mais simples que nos julguemos, somos uma pequena parcela do mistério geral.

Iremos de barco até Bombaim. De lá, voaremos para o Paquistão. Dentro em pouco, a Índia será um território do passado. E sentimos – inexplicavelmente – como se já nos começassem a arrancar o coração.

Rio de Janeiro, *Diário de Notícias*, 29 de maio de 1955

Regresso

Agora, alguém pergunta ao nosso lado:

– E o Cachemir?

São quase horas de embarcar, de deixar definitivamente céu, terra e mar da Ásia. A poeira ruiva do Paquistão cintila ao sol, e nubla os ofuscantes edifícios brancos. E esta voz é como um eco a outra voz que – era em Calcutá – mansamente nos persuadia a uma excursão mais para o Norte, para as frias alturas que vão dar ao Himalaia... Mas não podíamos ir. Somos uns viajantes sem grande liberdade. A vida humana é assim, presa sempre em determinados círculos.

– E o Cachemir?...

Então, os bem-aventurados que conseguiram andar por essas alturas começam a recordar em voz alta ruínas de templos, colunas, deuses, palácios, mesquitas, igrejas... tudo isso sobre uns céus macios, cor de madrepérola, tudo isso com águas cheias de barcos, que são casas móveis, nas quais se vive deslizantemente.

Quando se pensa que é sonho, imaginação, fantasia, dizem que não, que é muito mais do que tudo isso, que excede todas as invenções poéticas, sendo, ao mesmo tempo, simples e pura realidade.

Falam-nos, então, de árvores, com flores e frutas perfumadas, aveludadas, que parecem todas as frutas e flores que conhecemos, sendo, porém, diferentes. Outras castas de maçãs, de pêssegos, de uvas – que não veremos noutros lugares. Também, outros pássaros, outras aves, que lembram faisões, que lembram perdizes, mas são outra coisa, com plumagem mais bela e vozes mais agradáveis.

Em suma, o Paraíso é para esses lados nervosos de onde vêm os grandes rios – e esse Paraíso não verei, pois agora regresso, já saudosa e melancólica.

Ali, sim, é que eu teria visto os artesãos curvados sobre chalés fabulosos, a lavrarem a branca e veludosa lã com milhões de florezinhas miúdas, muito nítidas e coloridas, como violetas e miosótis e minúsculas rosinhas de todas as cores. Ali teria visto as mesmas flores, entrelaçadas de ouro, estenderem-se pelos reluzentes objetos de laca, numa profusa, minuciosa, infatigável decoração. Ali, teria podido admirar a arte e a paciência de transformar a madeira em preciosa bordadura, com folhagens caprichosas e multiplicadas flores, em tampas de caixas para joias e cigarros, em mesas, biombos, bandejas... Teria visto essa delicada primavera estender suas hastes e suas pétalas por uma claríssima prata, em bules, vasos, copos de elegante perfil – tão fino, tão alto, como o dos aéreos pavões destes jardins...

Ah! e teria visto jardins. Que jardins! com cascatas, repuxos, lagos, numa riqueza d'água que faria compreender o brilho das pedras preciosas nas enredadas filigranas destas joias do Oriente.

E então veria as joias: veria as pedras finas e veria o vidro colorido, tudo em combinações inesperadas de minerais foscos e transparentes, das cores mais imprevistas – róseos, violáceos, amarelados, com alguma pérola apertada em sua branca nudez por estranhas luzes verdes, encarnadas e azuis...

Os azuis! – veria azuis profundos como a noite, e quase esverdeados, como a água. Veria estas turquesas esmagadas com que se fazem decorações de mosaico minúsculo em placas de prata; largas pulseiras, broches, contas de colares, pequenas caixas...

Além disso, muitas histórias: histórias de princesas mongóis que andaram por lá, histórias mais antigas, extremamente misteriosas, que se relacionam até com a vida de Jesus Cristo...

Pois esse Cachemir deslumbrante, com suas neves, seus rios, suas primaveras, seus barcos, suas joias, suas lendas, – esse Cachemir vai ficar pouco a pouco mais longe, apesar de ter estado algumas vezes tão perto. Apesar de, por mais de uma vez, nos perguntarem, como por voz de vidente ou profeta: "E o Cachemir?"

O aeroporto é grande, ruidoso, movimentado. Gente que vai para o Cairo, gente que vai para a Europa. Gente que já viu muitas coisas, ou que ainda não viu quase nada. Gente de várias raças, que ainda contempla os grandes mapas pelas paredes, calculando a extensão dos seus voos, a distância das suas cidades, e recordando as aventuras que bordam cada itinerário humano.

Também nós calculamos: Karachi, Cairo, Roma, – depois, os pequenos pousos já conhecidos: Paris, Amsterdã, Lisboa... Mais longe, Dakar. Mais longe, ainda, Natal, Rio...

O avião nos levará assim, pela noite adentro, até o aeroporto egípcio, onde os homens risonhos, de camisola branca, com suas faixas coloridas e seus feltros vermelhos, nos oferecerão chá com torradas, numa hora sonolenta e inapetente.

Haverá crianças que brincarão por debaixo das mesas, que levarão talvez consigo, para o resto da vida, essa vaga noção de um lugar estranho, numa terra desconhecida, com estes homens escuros, grandes, sorridentes, que andam para cá e para lá com seu ar de fantasmas, um pouco bambos, nas suas chinelas frouxas.

Haverá pessoas afetuosas, que – tão tarde, na noite! – querem escrever postais, precisam escrever postais, escolhem aqueles da esfinge, ou o do Nilo, e procuram no fundo das carteiras a moeda para os selos.

Haverá gente tão insone que quererá comprar anéis como os de Cleópatra (segundo imaginam), e almofadões para o cantinho exótico de sua casa, e carteiras, cinzeiros, qualquer coisa dali, daquele lugar antiquíssimo, – sensíveis ainda à presença de faraós que já passaram há tanto tempo, de deuses que eles mesmos não entendem, de hieróglifos que jamais poderão ler, tanto é verdade que a criatura humana se alimenta de mistério e vive mais por motivos secretos que por estes motivos cotidianos, claros e objetivos.

Teremos cruzado, assim, estes céus que muitos antigos olhos fitaram: olhos que nos são infinitamente próximos, apesar de tantos séculos. Existiram por aqui poetas, profetas, santos, e algum poder maior deve descer destas estrelas, entre as quais recordamos os rastros das anunciações e das ascensões...

Nunca ninguém foi arrebatado numa direção com tanta vontade de ser levado em sentido contrário como nós, agora, neste possante avião que realiza o prodígio de sobrepor a máquina à magia! E assim vamos, como as crianças arrancadas ao seu deslumbramento, deixando ir o corpo, inerte e indiferente, mas com a alma, a saudade, a memória agarradas ao Oriente, onde cada grão de areia contém uma revelação.

São Paulo, *Correio Paulistano*, 31 de julho de 1955

São Paulo, *Folha de S.Paulo*, 18 de outubro de 1963

Todos os caminhos...

Todos os caminhos levam a Roma: nenhum porém através de mais sugestivas lembranças que este que empreendemos pelo ar, quando o crepúsculo doura o aeroporto de Karachi, à hora da quarta prece muçulmana, – por um céu puro onde dentro em pouco irão aparecendo estrelas.

Se nada vos dizem estes nomes, – Irã, Iraque – pensai no mar da Arábia, na Pérsia, em Babilônia, na Mesopotâmia, no Mar Vermelho, na Palestina, – que é nessa direção que vamos, antes de pararmos alta noite no Cairo, para, afinal, atravessarmos o Mediterrâneo.

E se ainda isso não vos diz muito, lembrai-vos que este céu que escurece é o mesmo de Omar Khayyam, de Ferdusi, de Hafiz, de Saadi... De Omar Khayyam que pensou: "Isto é tudo um tabuleiro de noites e dias, onde o Destino toma os homens como peças, move-os para cá e para lá, combina-os, mata-os e torna a guardá-los um por um na sua caixa". De Hafiz que celebrou a taça mágica de Jamshid, cuja embriaguez simbólica é o êxtase que conduz à Verdade. De Saadi, o que conversava com o pássaro Simurg, e cujos lábios, o profeta Khizr, quando o via adormecido, vinha umedecer com água da fonte da Imortalidade...

E de Ferdusi, – o que cantou os velhos reis, entre os quais deve estar o amigo de Manuel Bandeira, – pois se ainda nada disso vos diz nada, lembrai-vos que este caminho passa por Pasárgada, onde as ruínas de um túmulo bradam em três idiomas arcaicos "Eu, Ciro, Rei Aquemênio..."

E quem tem coragem de fechar os olhos, sabendo que sobrevoa o Golfo Pérsico, esse ângulo de velhíssimos mistérios, que já bebeu para sempre nas ondas antigas do Tigre e do Eufrates, aquelas imagens que o sábio de hoje custosamente arranca às areias – estas areias que um dia foram pedra, coluna, estátua, vaso, palácio, templo, casa, povo, alegria, trabalho, guerra, sonho, pensamento, dor...

São essas areias, são essas ruínas, são esses mistérios que estão lá embaixo, enquanto voamos sob o estrelado céu para onde, desde o princípio do mundo, subiram tantas vozes diferentes: umas que pediam, outras que perguntavam, outras que se lamentavam, outras que cantavam. E algumas que, só com o cantar, faziam tudo isso, e ainda explicavam o mundo, – como aqueles místicos medievais, – com tão secretas alegorias que até hoje muitos leitores pensam que estão ouvindo falar de vinho, de tavernas, de taças, de mulheres e paixões, quando os poetas estão contando, na verdade, com alegorias intencionalmente equívocas, suas tentativas de comunicação com o reino que fica antes da Vida, depois da Morte, dentro de todos nós e num ponto conhecido e irrevelável que cada um secretamente sabe o lugar de Deus.

E assim, sobrevoando estes fabulosos caminhos, tão perto de sua paisagem como se na verdade fôssemos desmoronando a velha terra com os nossos pobres pés; – e assim, avistando a face de poetas, profetas, santos, de todos os tempos, de todas as crenças, pousamos alta noite no Cairo, com o sonho absurdo de perder o avião, de descer pela noite para o Vale dos Reis, para o Nilo, para o coração do tempo e continuar a conversa infinita da alma com a solidão.

As luzes do aeroporto escondem as estrelas. Não veremos mais aquele céu do Egito, nitidamente anil, onde o sol cintilava com todos os seus raios marcados como se fosse uma incrustação de ouro numa joia de pedra azul. Agora a noite embebe de sono pessoas e coisas: os próprios guardas, tão marciais, nas suas roupas vermelhas, de alamares, rodelas, botões dourados, – parece atenuarem o seu rigor e não dão muita importância aos passageiros, aceitando-nos como gente inofensiva, – por natureza ou pelo cansaço da viagem.

E lá em cima, no restaurante, para cá e para lá, muito moles e sorridentes, com suas camisolas, seus dentes de ouro, suas faixas hierárquicas (a do chefe é de uma espécie de brocado ouro pálido), circulam os copeiros, que distribuem chás, laranjadas, pão torrado que talvez tenham outro gosto durante o dia, mas, na alta noite, parecem absurdamente horríveis e ficam intactos, na mesa, apenas como um símbolo de hospitalidade e um passatempo para os copeiros que vão e vêm, com as suas largas mangas, os seus barretes de feltro, o seu vasto sorriso, – todos ainda semelhantes à Esfinge, ao escriba, aos perfis gravados em murais, pilones, colunas desta maravilhosa terra.

Como há crianças em trânsito, a sala do restaurante alegra-se com suas correrias e gargalhadas. Também não fazem caso do chá nem dos refrescos: preferem rolar pelo chão, – depois da longa travessia – escorregar por debaixo das mesas, gritar palavras meio adormecidas, com que elas mesmas se assustam um pouco, – palavras que ficam de repente no ar como um hieróglifo.

Os copeiros continuam para cá e para lá, como sonâmbulos, trazendo e levando torradas, refrescos... Ficarão assim até o fim do mundo, ou pelo menos até o fim de sua vida, indiferentes ao que servem, – sorrindo, – gastando os sapatões num passo que não conduz a nada, – mas permanentes, constantes, diante da multidão que vem da Europa, que vem do Oriente, para estudos, para negócios, para congressos, para assuntos políticos, para assuntos religiosos, para assuntos sentimentais, ou simplesmente para nada, também, para turismo, para sair do lugar, por necessidade de evasão, por motivos tão interiores que nem o próprio viajante acertaria em explicar... E essa gente múltipla, diversa, com seus problemas, seus idiomas, suas feições tão variadas, – olha para os postais, para o Nilo, para as pirâmides, para os deuses; olha para o mostruário de joias, para as mil coisas que se vendem nos aeroportos; e a esta hora da madrugada estende a mão para comprar um cinzeiro, um anel ou uma caixa qualquer, onde mão inábil gravou um camelo muito mais torto do que de costume...

Saímos do Paquistão às seis e meia da tarde, e o relógio agora marca, pelo tempo de lá, quatro horas da madrugada. São esses desencontros do viajante com o meridiano que nos fazem perguntar: onde ficaram as horas que não vivemos? Ou onde ficamos nós?

Não mudaremos a ilusão do relógio: com o tempo oriental ainda no pulso, voltaremos para o nosso lugar no avião. Viajaremos assim sobre esse Mediterrâneo que é talvez a página mais viva da história do mundo, esperando a cada instante que um raio de sol anuncie a madrugada. E Omar insiste: "Pensa: neste cansado caravançarai, cujas portas são, alternadamente, a Noite e o Dia, quantos Sultões passaram, com a sua pompa, – ficaram uma hora ou duas e seguiram seu destino..."

A madrugada é uma claridade vagarosa, que vai descobrindo o mar e as ilhas. Madrugada brumosa, não a do poeta que a compara a um caçador do Oriente capturando torres, com seu laço de luz. A madrugada é como um ramo de flores murchas, de tintas esmaecidas e quase tristes.

Assim vai sendo a manhã, e depois pleno dia, antes que se possa descer em Roma, de céu cinzento, toda coberta de chuva.

De estranho fogo foram impregnados estes muros de Roma, que, apesar do dia sombrio, parece haver em redor da cidade um cinto de sol. E embora faça tanto frio, e as floristas estejam tremendo nas suas grossas roupas e no seu robusto corpo, as flores, encantadas com o dia, como se tudo fosse orvalho, brilham com uma firmeza de porcelana em suas pétalas róseas, brancas, encarnadas, perfeitas e felizes, nas barracas das esquinas, – sem saberem que já estão cortadas.

Rio de Janeiro, *Diário de Notícias*, 14 de agosto de 1955

Ares de Bangalore

Não se precisa ser oficial inglês reformado para se sentir que os ares de Bangalore fazem bem ao corpo, e à alma. Mas, estendidos nestas cadeiras, pela varanda do hotel, calados e quietos, ou aglomerados no bar, um tanto rubros e um tanto ruidosos, sente-se aqui uma felicidade suspensa, como num aéreo paraíso.

A cidade, no estado de Maiçor, tem uma altitude de cerca de mil metros, possui notáveis instituições de ciência e técnica, inclusive a granja modelo que visitamos, com todos os serviços encadeados, de modo que se vai do campo ao estábulo e do estábulo ao laboratório, admirando majestosos exemplares bovinos e uma sequência de gabinetes de pesquisa do leite e seus derivados, tudo entre doutores que manipulam tubos, pipetas, lâminas, explicam reações, apontam gráficos, discorrem sobre a manteiga clarificada, de búfalo ou de vaca, esse *ghi* de que já fazem menção os velhos livros sagrados da Índia e que é um produto alimentar de uso diário e também um medicamento precioso, cujas propriedades terapêuticas aumentam com o tempo. Essas propriedades são, aliás, inúmeras: o *ghi* cura doenças da vista, úlceras, dispepsia, aumenta o poder mental, melhora a voz... (Evidentemente, os ocidentais sorrirão diante de tal medicamento que faz lembrar o Brahmi Oil, loção para o cabelo que repousa os nervos, cura a

Crônicas de viagem 3 ✦ 47

insônia, abre a inteligência e torna amáveis as pessoas que a empregam... Mas o melhor dos sorrisos resolverá todas as nossas ignorâncias?)

Bangalore tem o seu comércio oriental, tem o seu comércio europeu, tem o seu confortável hotel, com a sua cozinha inglesa de rosbifes sangrentos (ó heresia!), de legumes insípidos, e a sua cozinha indiana, com o caril, o pilau, a compota de manga, os acompanhamentos de coco ralado e hortelã moída, pimenta, cravo, canela, passas..., – o pão chamado *chapota* e doces de arroz, de leite, de amêndoa...

O hotel está no meio de um vasto parque, cheio de árvores altas, onde se vê a noite com suas sombras e estrelas. Há um edifício principal, – portaria, bar, varanda, restaurante – onde se reúnem ou encontram os hóspedes que, no entanto, habitam separadamente pequenas casas muito agradáveis espalhadas pelo parque. Casas muito agradáveis, mesmo: estantes para livros; mesa para escrever (não apenas postais ou míseros apontamentos de viagem, mas romances, ensaios, obras célebres de autores que tenham a sorte de vir parar aqui como os oficiais reformados); também um cantinho para bebidas (tudo está pensado...); camas com mosquiteiros muito elegantes; janelas protegidas contra os insetos; quarto de vestir com tapetes acolhedores; banho com louças e metais, torneiras de água quente e fria; e uma varanda frequentada pelos pássaros que lançam olhares redondos sobre os bolos que nos servem com o chá.

Bangalore consola a saudade de Madrasta. Falta o mar, é certo. Mas estas altas árvores do parque têm um poder de atração estranho, principalmente à noite, com a lua a mostrar-se e a esconder-se entre os ramos movidos pelo vento. (Porque há um vento constante, sussurrante, aliciante...)

São famosos os tecidos de Bangalore. Fazem aqui uns sáris transparentes, muito delicados, muito leves, como os que estão expostos no mostruário do hotel: cor de limão, cor de água, cor-de-rosa... Colocaram perto deles outras pequenas coisas e a mais sedutora é uma destas sacolas que as indianas usam penduradas no braço, com escamas redondas de mica fixadas em alvéolos cascados. Em outros mostruários, há pontos de marfim que recordam antigos rimances, esculturas de deuses, – e também de Gandhi – objetos de metal, caixinhas lavradas.

A minha vizinha de mesa é uma bela muçulmana com um longo véu que ora lhe cobre o cabelo, ora lhe cobre o rosto. Ainda não reparei se esses movimentos do véu vêm de um gesto da moça ou do vento. E ponho-me a pensar se estas mulheres veladas do Oriente obedeciam ao capricho de maridos ciumentos ou eram assim protegidas contra o mau-olhado que está sempre a ponto de desabar, misturado a impulsos de irresistível admiração...

Aliás, mulheres verdadeiramente veladas raramente tenho visto. Essas, que se diz estarem em *pardá* ("*pardá*" também significa "cortina"), vestem uma espécie de dominó de cor severa (violeta, castanho) que tem no capuz uma pequena grade de cadarços ou fios por onde os olhos veem sem serem vistos. Todas as vezes que encontro uma mulher assim trajada, permito-me imaginar belezas estonteantes ocultas sob essa curiosa roupagem. Ponho-me a pensar também na impressão que deve causar às crianças andar ao colo de uma pessoa assim vestida, conversar com essa criatura mascarada, ter, enfim, esse mistério em redor de sua vida, ouvir essa voz que anda por detrás de um pano, sentir esse olhar que espreita como um prisioneiro pela janela da sua prisão.

Quanto à impressão das crianças, continuo na mesma, pois ainda não tive tempo de consultar nenhuma; quanto à beleza estonteante, já fiquei várias vezes decepcionada: em momentos de muito calor, algumas destas senhoras deixaram aparecer o rosto (ó Senhora Dona Sancha, coberta de ouro e prata!): pareceu-me que de capuz ficavam, na verdade, muito melhor.

A minha vizinha usa apenas um véu pelos cabelos: simples acessório de um dos muitos trajes regionais da Índia. Neste caso, seria pena que ocultasse o rosto, de belos olhos escuros e graves. Mas, como todos a contemplam tão encantados, enquanto almoça, convenço-me de que o véu é tão indispensável contra o mau-olhado como a tela de arame dos dormitórios contra os mosquitos.

Aqui, a temperatura é amena, e a noite chega a ser fria. Há muitos estrangeiros. O bar é imensamente frequentado. Tem-se a sensação de uma festa permanente, no fim do mundo. Mas talvez sejam os ares de Bangalore a simples causa desta euforia, – não apenas as bebidas, em copos grandes ou pequenos, que cada qual vai lentamente degustando, enquanto os copeiros, insensíveis a esse estilo de vida, passam lentamente, com os pratos fumegantes, eles mesmos leves, diáfanos como a fumaça que dos pratos se levanta.

Assim é, de relance, a alta cidade de Bangalore, vista do ângulo do hotel. Disseram-me que há por aqui – e pelo estado de Maiçor – grandes festas tradicionais, procissões de carros, coisas folclóricas que infelizmente não coincidem jamais com o meu modesto calendário de viajante. Aliás, o turismo estraga muitas coisas, e eu creio que a Índia não se importa nada com o turismo. A Índia não é proselitista: não faz propaganda de suas religiões, de sua filosofia: chega a ser mesmo um contrassenso, quando se observa o mundo sob este céu tão antigo, qualquer propaganda de fé. Recordo sempre o velho provérbio: "Não é o lótus que procura as abelhas: são elas que o procuram". Isto se entende muito bem, quando se está aqui, embora explicá-lo não seja tão fácil nem tão rápido.

O sossego do Bangalore é um convite a essa espécie de ócio fecundo que estimula a reflexão e certamente conduz à sabedoria. Toda esta gente que encontro pelo parque tem um modo de ser ausente, transfigurado, extremamente simpático: parecem todos habitantes de um mundo melhor, com pensamentos e compreensões definitivos. (Mas pode ser mera ilusão.)

O que não é ilusão é este falar das árvores, com suas roupas roçagantes, seus gestos rítmicos, a noite inteira, e este responder dos pássaros e insetos, e este assistir da lua tão clara, nesta altura, tão luminosa, nesta escuridão.

E, de manhã, não é uma ilusão a voz dos lavadeiros que conversam, conversam, torcendo a roupa na água, sacudindo-a no ar, estendendo-a ao vento. Vejo-os pela trama da janela como as senhoras em *pardá* veem o mundo pela grade do capuz. Que conversarão os lavadeiros? Em que língua estarão conversando? Deve ser uma língua dravídica, posto que estamos tão ao sul, na península hindustânica. Talvez o *kannada*. Já não tenho esperanças de aprender outras línguas, nesta viagem. Já quase nem tenho esperanças de encontrar vocabulários ou compêndios.

Os lavadeiros falam depressa, com energia, súbitos cortes de frases. É bom ouvir-se uma língua que não se entende. Sempre se pode imaginar uma conversa melhor.

E enquanto os homens tagarelam e o vento enfuna as roupas lavadas, uma silenciosa mulher toda envolta num sári cor de safira, com as mãos, os pés, o pescoço, as orelhas e o nariz cobertos de enfeites de prata, apanha as folhas secas pelos caminhos do parque. Escura, silenciosa, como um faisão que deslizasse.

[1955]

Cinza e luz de Haiderabad

Em duas horas vai-se, de avião, de Bangalore a Haiderabad ("cidade de Haider"), capital do grande estado do mesmo nome, no planalto do Decão.

O sonho de voar, que tanto interessa às crianças, tornou-se-nos aqui provisória realidade: de tanto andar pelos ares, é como se já tivéssemos asas próprias, que nos fossem levando por estes céus da Índia, tal como nas *Mil e uma noites* os pássaros encantados e os tapetes mágicos.

A vista do aeroporto, ao sol da manhã, é árida e vasta. Como se tivéssemos pousado num deserto. Vem ao nosso encontro um velhote moreno e magro, de barbicha e gorro de pele. Misto de feiticeiro e astrólogo, das histórias antigas. Agora, simples motorista do carro que nos deve levar ao hotel.

O hotel é aquilo que o seu dedo nos aponta no horizonte: uma pequena mancha no alto de umas pedras. Chama-se Rock Castle. Aliás, tudo são pedras ou areias. A paisagem é toda cinzenta, sob um céu belíssimo, que se reflete e concentra todo numa redonda concha azul, única nota de cor: a represa.

Rodamos, pois, nesse reino de cinza, que tem uma beleza grave de solidão quase agressiva. Pergunto-lhe: "É sempre assim?" Ele, também, de perfil pontiagudo, severo, curtido pelo sol e pelo tempo, responde com voz rouca e breve que, quando vem a monção, as pedras reverdecem. Continuamos a rodar. Para mim, é como se a monção nunca tivesse vindo, nem viesse jamais. Qualquer vegetação parece impossível nesta paisagem. E até – a não ser pelo mal que cause aos habitantes de tão impressivo lugar – seria melhor que não vicejasse nada nestas pedras, que isto fosse para sempre este deserto, com zimbórios brancos, – os zimbórios que começam a aparecer. Mas o motorista fala num rio, no rio Musi, que anda ali perto, – mas, sempre que olho, o Musi já passou.

Subimos por uma rampa, vistamos uma porta: é o hotel que tínhamos contemplado no horizonte, quando estávamos ainda no aeroporto. Há umas senhoras inglesas, com os eternos vestidos de flores que gostam tanto de usar; há um jovem muçulmano que passeia com ar de sonho, e como quem recita suratas em voz baixa; há uns mostruários com objetos da indústria local: objetos de *bidr*, pantufas de pelica, joias e caixinhas de prata, feitas, às vezes, com moedas de Haiderabad. Pois este estado muçulmano, governado pelo Nizam, ainda tem moeda própria, embora em vias de desaparecer.

O hotel é muito pequeno, mas pitoresco. A melhor coisa que tem é uma larga varanda, na parte dos fundos, de onde se pode contemplar a cidade, toda cinzenta, com aquela concha azul da represa engastada no meio. Os turistas, como sempre, andam para cá e para lá, com grande animação, óculos no nariz, guias abertos em cima da mesa, mapas, olhos fascinados por esta palavra verdadeiramente mágica, irresistível: Golconda.

Para que lado é Golconda? Para a frente? ou para trás do hotel? Grandes dúvidas. Onde está o sol? – Por isso, escrevi no alto do caderno de notas o primeiro verso de uma cantiga:

Não te quero ver, Golconda...

E fiquei à espera da hora de almoçar deitada na cama estreita, dura e pobre, com sua coberta floreada, a sentir lá na sala os turistas, que, por essa altura, já ocupavam todas as cadeiras de vime do hotel. O sol enchia de luz e fogo a varanda toda e resplandecia lá embaixo, lá longe, na poça de safira.

Não te quero ver, Golconda...

Mas aí chegam as visitas. As visitas que não me permitem esse impulso de tédio. Precisamente Golconda é que eu devo ver. As ruínas de Golconda. A sombra desses lugares fabulosos cujos abismos não podiam ser alcançados. Então, os engenhosos aventureiros atiravam lá embaixo grandes peças de carne, que as aves de rapina traziam para os seus ninhos. E as pedras preciosas vinham presas aos pedaços de carne; e os homens espantavam as aves, e colhiam as pedras que até hoje fazem cintilar essa palavra, – Golconda – nome de um reino desaparecido.

Mas se esse mundo de diamantes mortos me emociona, entre estas vistas cinzentas da cidade e os vestidos das inglesas, cheios de flores miudinhas, então, vamos ver o Tchar Minar, – "Quatro Minaretes" – que há cerca de quatro séculos pousa no meio de Haiderabad como uma coroa na cabeça de um rei.

Quando os turistas se retiram, a pequena sala recobra um ar amável de habitação humana, e os pequenos objetos expostos no mostruário sossegam da aflição de serem avidamente comprados.

O *bidr* é uma liga metálica, fosca e negra como ardósia, a que se aplicam delicados desenhos de prata, em trabalho semelhante ao do aço damasquinado. Esse contraste da ornamentação clara e brilhante com o fundo de azeviche tão liso que parece aveludado dá aos objetos um encanto peculiar. As mais belas peças de *bidr* que já vi foram uns pratos ornamentais, numa residência em Nova Delhi. Neste mostruário, há pequenas coisas: cinzeiros, broches, abotoaduras, cigarreiras, – embora com essa matéria se possam executar objetos de outros tamanhos. Os desenhos, de prata embutida, são em estilo persa: flores isoladas, silvas, ramos. Quando o *bidr* fica embaciado, limpa-se com óleo de coco. Nunca enferruja, – dizem-me – mas é friável.

Mas não é nos mostruários do hotel, e sim nos depósitos das *cottage industries* protegidas pelo governo que se pode apreciar o que a Índia produz em diferentes setores de artesanato. Neste, de Haiderabad, vemos multiplicarem-se os objetos de *bidr*, com formas e ornamentos de grande interesse não só artístico como folclórico. Encontramos também as famosas pantufas pontudas, arrebitadas, feitas de pelica tão macia que parecem luvas. E as *pallas* (barra larga e ornamentada dos sáris) tecidas de ouro e prata e o belíssimo brocado *himru* já nos fazem pensar não estarmos longe de Aurangabad, que suponho ser o seu lugar de origem. E os lótus que aparecem nos desenhos recordam os painéis de Ajantá, dos subterrâneos mosteiros budistas que um destes dias iremos visitar.

Quanto a assuntos científicos, Haiderabad possui uma Estação Experimental de Agricultura que é como um pequeno Instituto de Pesquisas. Suas instalações são modestas, mas seus serviços, de imensa importância para a região, desenvolvem-se com grande segurança e eficiência. Muitas variedades de arroz e sorgo são aqui estudadas, e selecionadas nos campos experimentais que rodeiam a sede da Estação, e nos quais se encontram também em estudo o milho, o algodão, gramíneas e plantas têxteis. Há seções de Genética, de Solos e de Insetos, Pragas e Doenças que atacam as plantas.

É uma grande maravilha ouvir-se um especialista discorrer sobre a sua especialidade, sobretudo num país em renascimento, como a Índia, em que um grande fervor de reconstrução se esforça por melhorar as condições gerais da terra e do povo.

Mas, por detrás desta linguagem de ciência, estou vendo o caminho do Tchar Minar: estou pensando em Sarojini Naidu, que tão bem celebrou as belezas do bazar, com seus colares de flores perfumosas, seus objetos de metal amarelo, suas sedas multicores, suas joias, suas frutas, seus ruídos, seu movimento... Estou pensando em Pierre Loti, impressionado pelas casas verdes e cor-de-rosa e a quantidade de turbantes que encontrava ao longo das ruas, na densa multidão que semelhava um campo de flores...

Esta é uma das avenidas que levam ao Tchar Minar. Este é o bazar, com bicicletas, automóveis, carros, muitos pedestres, – inúmeros, inúmeros – de turbantes amarelos, róseos, violáceos, ou de gorro de pele, ou de cabelos ao vento... E as sedas flutuam, nas lojas, ao sabor do vento, longas e vivamente coloridas... E flutuam também, como estranhos fantasmas, aqueles vestidos fechados como dominós que usam as mulheres em *pardá*. E há umas curiosas tranças negras, com borlas e enfeites de cor, para aumentar as tranças naturais. E há muitas, muitas flores artificiais, com adornos metálicos, e frigideiras com frituras, e doces; e crianças que levantam para nós grandes olhares meigos; e faquires de roupa vermelha, cabelos vermelhos, que acham muito natural serem fotografados conosco, e até parecem amigos seculares, que estamos encontrando após uma longa ausência.

Andaremos pelo Tchar Minar, sentiremos um pouco do passado que tudo isto exala. Por Sarojini Naidu, por Pierre Loti, por outros que amaram estas coisas, e já não as podem ver, emprestamos nossos olhos a esta visão. Emocionante mundo dos poetas!

Riscamos no caderno o verso que dizia "Não te quero ver, Golconda!". (Iremos, iremos ver as ruínas da fortaleza e dos túmulos.) E agora contemplamos a noite pura e silenciosa que arma entre as pedras e o céu suas cortinas de estrelas. Não há mais turistas. Haiderabad dorme em sua cinza. E uma pequena brisa inclina para a varanda uns galhos mirrados com romãs ainda verdes. Triste beleza árida.

[1955]

Sombra de impérios

Não é fácil dormir, quando se sente a cabeça tão próxima de Golconda e das lendas e tradições que se confundem com a sua própria história. Não é fácil dormir, quando todas essas correrias do século XVII insistem em acordar da sua morte os velhos imperadores mongóis, especialmente Aurangzeb, esse "habitante do país da Eternidade", que foi, ao mesmo tempo, "o *derviche*", o austero, o inimigo da música e das belas-artes mas também o inimigo de seu pai e de seus irmãos, – guerreiro incansável que, já no fim da sua longa vida, suspirava ainda pela conquista de Golconda.

Não, não é fácil dormir, quando lá fora – no terraço, talvez? ou muito longe, entre as pedras da paisagem? – uma vaporosa litania paira, como certa nas curvas do seu voo...

Dois ou três séculos não são nada, para estes mortos... E o perfil de Aurangzeb insiste em imprimir o passado no presente. É aquele perfil das estampas: penacho, turbante, colar, e uma auréola flamejante que vai da ponta da barba completamente branca à descaída curva do ombro. Retrato de velhice, onde o olhar parece vencido não apenas por tantas experiências de uma longa vida, mas também pelo remorso de tão tremendas audácias.

O sol não dissipa essas conspirações dos sonhos, porque a paisagem de Haiderabad é tão sugestiva e empolgante quanto as sombras da noite. A torrencial invade o terraço e doura as pobres romãs franzinas que com tamanho esforço ostenta o galho ressequido. Um jardineiro de turbante branco arremessa gotas d'água para os vasos de plantas do jardim pedregoso. De onde teria arrancado essa água, em terra tão seca? Trouxe-a num pote de barro, de boca larga, como um alguidar, e com um movimento da mão atira para as plantas esses grãos de cristal, rápidos e esparsos, num gesto que é de pura caridade.

Mas é tal a aridez da paisagem, só de pedras acumuladas, que a alegria de ver essa água cair nas pequenas plantas empoeiradas não dura mais que o momento da sua cintilação ao sol. O jardineiro passa, desaparece, e tudo volta a ser uma áspera, imóvel, ardente solidão.

Contam-me, então, que estas estranhas pedras amontoadas e que parecem mal seguras e prontas a deslizar a um leve abalo são restos da matéria cósmica que Deus atirou para ali, depois de fabricar o mundo. (Ao longe cintilam farpas de sol – vidros, zimbórios, crescentes... – sobre a cidade que se espraia branca e tênue como a Via Láctea. (Mas Golconda é o lado oposto.)

Descubro agora uma loja que parece apenas sonhada: toda azul, com os planetas pintados pelas paredes. No meio, sentado à oriental, o astrólogo que poderia contar o nosso destino, – se tivéssemos tempo...

Depois, o caminho vai sendo cada vez mais solitário, mais pobre, mais agreste, e avistamos a longa muralha que, como uma serpente eriçada, sobe imponente e escura até o céu. Tudo é vasto, sombrio, fabuloso. A vida humana torna-se absolutamente insignificante, aos pés dessas majestosas ruínas.

Apontam-nos o aqueduto. E fica-se triste, diante da terra deserta. Apontam-nos as grandes portas da cidadela – o que resta de Golconda – guarnecidas de longas pontas metálicas, contra a investida dos elefantes.

Transposto o pórtico, entra-se num mundo verdadeiramente morto: paredes de pedra, recantos desabitados, escadas, arcos. Os guardas não parecem vivos, mas apenas animados, únicos fantasmas visíveis de uma história terminada.

Começa-se a subir: degraus aparelhados na pedra da encosta; a desagregação do cascalho, sob os passos; o estranho som das nossas vozes, naquela atmosfera de tão complexa repercussão; e subterrâneos, e poços enormes, lodosos; e escombros de templos, de habitações; e calabouços; e sempre escadas e mais escadas, até o cimo, com terraços, grandes salas, o lugar em que se sentava o imperador, e de onde via os exércitos... Oh! Como nos sentimos longe do chão, da realidade, do momento. Em que dia estamos? São os elefantes de Aurangzeb? E as lanças dos seus soldados que levantam ao longe aquela poeira? – Não: é apenas o vento que revolve o caminho calcinado. Apenas a nossa imaginação que vai seguindo – e exagerando um pouco – a narrativa de um dos nossos companheiros.

Lá longe, lá embaixo, é o mundo. Nós estamos aqui, fatigados da ação, reclinados nestas pedras tão ricas de passado, nesta plataforma de onde se podia avistar a vitória ou a derrota. E a morte.

E aquilo são túmulos ilustres. Aquilo! (E olhamos, ao longe, os túmulos, que também estão mortos.)

Mas apesar de toda a solidão, desse completo despojamento em que se encontra a velha cidadela, uma poderosa beleza essencial empresta a Golconda um ar transfigurado de libertação. Salas sem esconderijos, abolido trono, alcandorados no céu, conservam um poder ausente que às vezes nos obriga a voltar a cabeça para ver se o último rei não nos vem contar a sua alegria de não viver mais. A sua alegria de já transcender todas essas guerras, essas histórias de sangue e também de amor, essas aventuras momentâneas que formam a pobre vida humana, tão difícil de travessar, e tão insignificante, à contemplação ulterior.

Quando íamos descendo é que alguém se lembrou das minas, dos diamantes que, mais do que as guerras, emprestam à palavra – Golconda – essa ressonância lendária que ainda possui.

– Preciso de algumas de vossas joias, para a majestade do meu trono! – mandava dizer ao pai, – que encarcerara, – esse filho turbulento e irmão sanguinário que foi Aurangzeb.

– Se vierdes buscá-las com violência, ordenarei que sejam quebradas a martelo, até ficarem reduzidas a pó – respondia o velho xá Jahan, o imperador artista, a quem se deve o Taj Mahal.

– Pois que as guarde! E saiba que todos os diamantes de Aurangzeb estão à sua disposição! – replicava ao emissário o filho desdenhoso.

– Toma essas joias todas! – respondia, noutro tom, o pai generoso, – e oxalá possas com a tua glória fazer esquecer à tua família algumas de suas desditas!

E chorava, de um lado, o pai prisioneiro, e, de outro, o filho comovido. Tudo por essas constelações de diamantes e outras gemas que foram a alegria dos velhos mongóis, e o deslumbramento dos invasores persas. E certamente não só pela beleza decorativa que possuem as pedras preciosas, com suas cores e cintilações, mas pelas suas virtudes profundas, por sua secreta força, pelos poderes que os antigos sempre lhes atribuíram de influir no destino dos seus portadores.

Ai de nós! Que vamos de degrau em degrau sentindo apenas pedregulho e areia sob os nossos pés! A "matéria do mundo", que se esfarela por estes declives...

Às vezes, paramos, e vemos lá embaixo, lá longe, o desenho de Haiderabad com a luz da tarde a despertar uma faísca amarela ou vermelha sobre algum pormenor.

E tão imponentes são estas ruínas, e tão grandiosa esta velha estrutura deserta que podemos entrar num automóvel e abstrair-nos completamente da existência da pobre máquina – tão útil... Continuamos a pensar em elefantes do século XVII, em imperadores, guerreiros, princesas, ninhos de pássaros com diamantes misturados aos ovos, e muito maiores...

Todos os vivos que vamos encontrando, e vemos e ouvimos, não são tão vivos quanto os mortos que não vimos nem ouvimos naquela cidadela definitivamente morta, – e que, no entanto, são mais nítidos e eloquentes.

E encontramos um cego. (Instintivamente, eu sabia que Golconda era apenas uma pálpebra de pó, – uma cegueira...)

[1955]

Barco de poesia

Subindo agora este mar da Arábia, tendo ainda no olhar os amáveis adeuses de Goa, não podemos também esquecer as naus que por aqui andaram outrora, e Gama, e Albuquerque, e D. João de Castro, o que, "sem ter tido em casa uma galinha para comer na sua enfermidade", teve, no entanto, a sorte de expirar nos braços de São Francisco Xavier.

Este mar viu bom sangue, fogo, pelouros, chuços, – mas agora é espelhante e azul, e a grande vela que o atravessa é a do ardente sol, que cruza a nossa rota, a viajar para os areais do Ocidente.

Com os olhos no horizonte, recordamos estes versos:

> Além, nesse país das maravilhas,
> do pau-brasil e do colibri...

Assim começava a saudação que nos dirigiu, em Goa, uma figurinha adorável de delicadeza e sensibilidade: a jovem poetisa Maria da Piedade Salvador Fernandes do Rego.

Conhecemos ali muitos jornalistas, – é mesmo extraordinário o número de jornalistas que podem ser encontrados em Goa – mas os poetas (salvo se estavam incógnitos, com os poemas nas algibeiras) – não eram na mesma proporção, – o que não pode deixar de causar alguma surpresa, quando se nasceu no Brasil...

Aquele rio Mandovi tem sido responsável por muitas coisas. Uma outra poetisa, ainda mais jovem, Beatriz de Sousa, diz, num dos seus poemas:

> Quero numa gôndola de luz,
> feita de ouro e de sonho,
> velejar pelo azul muito azul
> das águas do Mandovi,
> onde amei... onde vivi...

Livros que me deram fazem-me conhecer alguns outros poetas: Adeodato Barreto, Hipólito de Meneses Rodrigues, Alfredo Lobato de Faria. Os poetas goeses não escrevem apenas em português: há também os que se servem do concani e do marata. Talvez essa indecisão da língua concorra para uma certa dificuldade de expressão, e nos faça estranhar um pouco o ritmo e a própria melodia de suas composições. Aliás, no prefácio de vários destes livros, sente-se que não passou despercebido ao prefaciador a insegurança de técnica dos poetas. É preciso, também, considerar que, em alguns casos, os poetas, goeses de nascimento, viveram longe da terra natal, o que talvez concorra para explicar a dificuldade de ajustamento de uma sensibilidade oriental a uma forma literária de outra índole.

Quanto aos temas poéticos, ainda são os do Romantismo: saudade, amor, melancolia, ciúme. Um dos mais expressivos sonetos de Hipólito de Meneses Rodrigues, falecido em 1947, diz assim:

> Reza baixinho, coração dolente,
> Reza baixinho, faz bem o rezar.
> Reza baixinho, que o rezar te alente,
> Reza baixinho, e voltarás a amar.
>
> Reza baixinho, que Deus é clemente.
> Reza baixinho, abranda teu penar.
> Reza baixinho, faz mal ser descrente,
> Reza baixinho, que a verás voltar.

Reza baixinho, coração magoado,
Reza baixinho, num murmúrio alado,
Reza baixinho, pode alguém te ouvir.

Reza baixinho, e o teu amor perdido,
Reza baixinho, tornará florido,
Reza baixinho, pois ela há de vir.

A temática propriamente indiana influi poderosamente nestes poetas de que tenho notícia. Adeodato Barreto, que morreu em Coimbra, muito jovem, em 1937, descreve Goa como

Jardim plantado por Brahma,
com a própria mão,
jardim que às vezes parece
a meia-lua crescente
que um dardo de Parsurama
ferisse impiedosamente e, despenhando, viesse
engastar-se no Concão.

Também canta a Súria, que é o Sol; sente-se *bhául*, que é o excêntrico místico, desprendido de ritos e seitas; ouve Deus sob a forma de Ishvara, e traduz poetas antigos, como Basava, do século XII, Kabir, do século XV, Sarvajna, do século XVII, Puligere Soma e Bhima Kavi, dos séculos XIII e XIV, além de adaptações do Pantchatantra e de Tagore.

Alfredo Lobato de Faria, em 1948, mistura às suas composições imagens e palavras orientais:

Dança, ó linda Sita-bai,
que eu te quero ver bailar!

O vestido é o *sári*, a beleza é de *devi*, o instrumento musical é o *sarangui*, e nem falta o *cucume* na testa, que faz dizer ao poeta ciumento: "não vá ser beijo de alguém!"

De grande reputação é o poeta Paulino Dias, falecido em 1919. Ao livro em que reuniram os poemas inéditos por ocasião de sua morte, denominaram: *No país de Súria*. Aqui, os temas são quase todos plenamente orientais, como se pode ver pelos simples títulos: "Indra", "*Le roi des éléphants*", "A morte de Raugi",

"Gandicá", "Basmaçura", "A Pracriti", "Nirvana", "Os párias" etc. Este é um poeta maior, ainda com uma ou outra imperfeição. Poeta de poemas dramáticos, com grande riqueza de composição. Com grande riqueza descritiva, também, num estilo verdadeiramente oriental, pela abundância de imagens e minúcia das cores. Na anotação de um dos cenários do seu poema "Indra", diz, por exemplo:

> Então, abrem-se com estrondo de sete mares as portas amarelas que aparecem em massa sonora as transparências picotadas de oiro, de ônix, os mármores veiados bruno quente, trêmulos de arcadas, de galerias de claustros, tudo cimentado de bronze, com topetes de prata, rostros de esmeralda. Precipitam-se traiçoeiramente grossos Ganas e Marus, em monte de força e cólera e medo sobre o *dvarapala*, que ele desaparece debaixo de lanças e escudos sem ter tempo de soltar um ai. Indra e Vaiu precipitam-se pelo interior, seguidos de chefes altos. No meio do claustro de marfim é um altar simples de pedra, no meio de candelabros, onde pombos vêm comer arroz e cisnes beber leite coalhado.

E o poema continua:

> Entrou como um leão o inimigo de Vitra,
> no meio de um curral de elefantes...

No vocabulário de todos esses poetas aparecem algumas palavras que dão cor local aos seus poemas. Algumas encontram-se por toda a Índia, outras são particularmente de Goa: assim, *bate* é o arroz, *zaios* e *champins* são flores perfumosíssimas, *mogarins* são os nossos bogaris, *panha* e *sumaúma* – ou paina –, *crótone* é o nosso cróton, *ambó* é outro nome da manga, *olas* são as folhas de palmeira ou coqueiro, *bule-bule* é o bulbul ou rouxinol, *carepa* é uma concha fina e translúcida (*placuna placenta*) que usam nas janelas, em substituição das vidraças... Mas isto é pequeníssima, insignificante amostra da linguagem indo--portuguesa de Goa.

E assim vai navegando esta nau de poesia, e até amanhã pela manhã não veremos senão mar e céu.

Tornamos a pensar em Bocage, o terno Elmano, que amou e sofreu em muitos lugares do mundo, inclusive em Goa:

Tu, pernicioso amor, fatal cegueira,
Reinavas no infeliz, que em vão carpia,
Do claro Mandovi sobre a ribeira...

Pensamos em Camões, não só no épico, mas no satírico, e em suas aventuras por estas e outras distâncias.

Mas o comandante vem convidar-nos para ver sua coleção de marfins, que está lá em cima, no seu camarote. Há verdadeiras maravilhas de escultura, e peças ornamentais de fino rendilhado, sobre complicadíssimas composições. Diante desses preciosos trabalhos, recordamos a habilidade dos escultores do norte da Índia, que, anonimamente, trabalham dia e noite, arrancando ao liso e duro marfim as mais deliciosas figuras: deuses, animais, flores, – e esses inverossímeis elefantes que vendem em grupos de duzentos, trezentos, quatrocentos, aconchegados numa semente encarnada que lhes serve de cofre...

O calor, porém, é sempre o mesmo, apesar das extensas águas, do límpido céu, e do crepúsculo que já chegou. Não há um sopro de viração.

Poder-se-ia continuar neste barco até Karachi: mas é mais fácil, e certamente mais cômodo, tomar o avião em Bombaim, onde chegaremos amanhã. O capitão continua a mostrar seus marfins, com todo o cuidado. Com o cuidado de um capitão inglês que mostra marfins da Índia.

[1955]

Poderemos dizer adeus?

A cálida, a úmida Bombaim, nosso primeiro encontro com a Índia, e, tantas vezes, pouso do nosso itinerário, – a cálida, a úmida Bombaim, agora deixamos definitivamente. Ardentíssima, esta manhã, com o mar – em frente à nossa janela – todo envolto em bruma nacarada, por dentro da qual, mansamente, molemente, pequenas embarcações transitam como peixes num aquário enevoado. Por entre automóveis e bicicletas, vultos apressados: os sáris multicores, que o movimento enche de ar e de pregas; os redondos turbantes; os gorros negros; os cabelos luzentes de óleo; os *dhotis* brancos dos homens vestidos como Gandhi; sandálias de couro simples, sandálias masculinas que caminham a passos largos; sandálias femininas, douradas, enfeitadíssimas, que aparecem e desaparecem sob as sedas cor de fogo, cor de limão, cor-de-rosa, cor de anil...

O olhar dos passantes. Este olhar que não quero esquecer: profundo, infinito, onde a realidade está presente para sempre, na sua essência inviolável, apesar de toda a fenomenologia... Este olhar a que as cores, as formas, os volumes, os movimentos dizem outras coisas, transformando-se incessantemente, desintegrando-se, traduzindo-se em sua definição secreta, única e imortal. Este olhar que fita o Centro, a Origem, mesmo quando as sedas ondulam e passam, e as joias brilham, e os palácios abrem e fecham as suas janelas, e a música e a dança e as festas e as mortes fazem deslizar seus cortejos tão perto de nós como se passassem entre as nossas pestanas...

Foi assim em Delhi, a nova, – límpida cidade transparente de verdes e azuis e encarnados; na velha Delhi, monumental e humilde, com a pobreza dos refugiados do Paquistão ao pé das antigas lembranças imperiais; assim na puríssima Agra, renda de mármore e lua; na árida Fatehpur-Sikr; na rósea Jeipur; nas modestas ruas de Patna; assim na fumosa Calcutá, pesada de umidade e calor, como se houvesse pântanos do ar; foi assim pelas solidões de Cattack, entre as areias de Puri; à claridade ventosa, quase alegre de Madrasta; nas alturas arborizadas os sussurrantes de Bangalore; pelas ruas, pelos bazares, pelas oficinas de Coimbatore e de Aurangabad; pela inesquecível Haiderabad, que o Tchar Minar coroa; por todas as esquinas, em todas as portas e janelas, entre os arrozais e os canaviais, atrás dos carros de bois, junto aos barcos de pesca, nos velhos, nas crianças, nas mais vaidosas mulheres, nos mais respeitáveis senhores; nos mendigos, nos aleijados; em brâmanes postados nos templos, em muçulmanos nos degraus das mesquitas, em parses, em cristãos, em jaínas, e na multidão de modalidades religiosas que lado a lado convivem na Índia imensa: um grave olhar se dirige a todos estes olhos para um ponto comum: Deus.

De um modo geral, no Ocidente, Deus é um compromisso que se tem para certos momentos solenes, assinalados pelos próprios sacramentos. Nos intervalos, o olhar perde altura e entretém-se (às vezes, um pouco demais) com as infinitas coisas transitórias deste mundo. No Oriente, o compromisso é ininterrupto. Inesquecível. O que passa não o perturba. O que passa é interpretado e eternizado. Tudo é sagrado. Mas também o sagrado se desfigura: Deus assume formas várias. Deus dança. Deus cria e destrói. Criação e destruição, mais o ritmo e as fantasias que as cercam são como arabescos em redor de uma letra. A letra é o símbolo, o sinal, o ponto de referência; o alvo. O olhar atravessa todas as tentações do caminho, como a flecha obediente ao seu destino. O olhar guarda fidelidade ao seu compromisso, a todas as horas. Nesse sentido de união, há também um sentido de unidade, que se torna evidente, quando se caminha sem preconceito entre mil seitas, mil imagens, mil cerimônias, na vasta selva mágica do panteão indiano.

Mas o aeroporto azul avisa que o avião vai partir; véus arregaçados, sandálias douradas, tranças, *dhotis*, roupas ocidentais atravessam o campo e daqui a pouco seremos invisíveis, no voo que nos leva para noroeste, para o Paquistão ocidental, para Karachi. São dez horas da manhã, desta manhã cálida e úmida de Bombaim. Às cinco da tarde devemos chegar ao nosso destino. A Índia começa a converter-se em passado. Em memória.

Então, os amigos, um por um, aparecem, entre o céu e a terra, nesta alta imensidão luminosa, neste verde severo, por onde os rios serpeiam, – muito, muito longe, cintilantes e curvos – e de onde as montanhas se levantam, como grandes elefantes, como enormes búfalos, redondas e escuras. A memória refaz o que já foi vivido: a sala do Parlamento, em Nova Delhi, onde, embrulhados em capotes e mantos, pessoas vindas de tão contrastantes lugares discutiam uma fórmula para tornar este mundo melhor; os jardins festivos em que deslizavam o presidente Rajendra Prasad, Nehru, Radhakrishna, Krishna Menon, Maulana Abul Kalam Azad, Acharya Kripalani, uns de gorro branco, outros de turbante, ou de cabeça descoberta, ou de gorro negro, vestidos à ocidental, ou de *dhoti*, ou com essas casacas indianas, abotoadas do pescoço à cintura...

Entre essas e outras pessoas que estão criando a nação indiana, com uma pujança, uma seriedade e um amor que o Ocidente não pode ignorar, – mil figuras de outros países, com suas roupagens de seda e ouro, com seus chapéus, com suas joias, – porque é dia 26 de janeiro, a data nacional.

E, por esses inúmeros caminhos, por esses palácios, em torno desses templos ao longo desses passeios, – os mil amigos desconhecidos, por vezes anônimos que nos apontavam uma pedra, que nos contavam uma história, que eram hindus ou muçulmanos e nos saudavam juntando as mãos no peito ou levando a mão à testa: "*Salam! Namastê!*"

E os laboratórios, e os campos de pesquisas, com estes jovens ardentes que passam a vida ao microscópio, entre lâminas e pipetas, em modestas salas, brancas como hospitais, – as paredes cobertas de gráficos: como a Índia alimentará seus filhos, como a Índia vencerá suas crises de crescimento, como a Índia será um exemplo para tantos e tantos povos!...

E os espetáculos de arte ressurgem aos nossos olhos, aos nossos ouvidos, – e eram danças, canções, música, exposições de pintura, de artesanato, eram as flores, os animais, as cores, a vida de uma Índia imemorial a brilharem no papel, na seda, na prata, no bronze, no marfim, na madeira, na lã, na laca...

Não podemos, nem queremos, arrancar de nosso coração nada disso: o rosto do ancião – vestes brancas, barbas brancas, cabelos brancos – inclinado sobre um instrumento arcaico, onde uma história vai sendo escrita sem palavras...; os pés do bailarino fazendo soar os guizos ritmicamente; as mãos nos diferentes tambores: tan-tan-tan... pam-pam-pam...; o soar dos gongos nos templos, deixando no ar as vibrações em sucessivas auréolas; os tanques de purificação; as crianças em redor dos elefantes; os bordadores inclinados para os seus fios de seda e ouro; os cortejos dos noivos, pelas ruas, entre vozes de flauta encaracoladas; os mortos nas suas piras, desfazendo-se em cinza para o regaço maternal do Ganges...; as aldeias tão varridas, com decorações ingênuas nas paredes das cabanas, e a população a conversar sob as árvores... Esse ar de grande família irmanada no seu destino humano, esperando passarem estes tempos terrenos, em que apenas descansam, como num *sarai*, nessa viagem que todos estamos fazendo para Deus.

E, no meio disso tudo, o rosto de Gandhi nos palácios, no Parlamento, nas escolas, nas grandes salas públicas, nas pequenas salas particulares, – a figura de Gandhi já em marfim, como os deuses da mitologia, nas lojas, nos bazares, nos mostruários dos hotéis, nas mãos dos escultores de rua... Gandhi, que palmilhou todos esses caminhos, falou por toda parte, procurou unir toda esta gente, fossem quais fossem as suas crenças, as suas castas, a sua língua, a sua raça... Gandhi, – mensageiro da união, da unidade, mensageiro de Deus.

Feliz a Índia, que tem dado ao mundo tantos valores espirituais, ainda que muitas vezes desconhecidos do Ocidente! Dois, pelo menos, se universaliza-ram: o do passado chamou-se Siddhartha Gautama, – e foi o Budha; o do pre-sente foi Mohandas Karamchand Gandhi; e não importa que ambos já tenham desaparecido, porque os sentimos e vemos na face e na alma deste povo.

Às cinco da tarde, estamos no aeroporto de Karachi, no Paquistão – que há pouco se separou da Índia. Assim como do outro lado se viam os tristes alojamen-tos dos milhares de refugiados hindus, aqui também se acumulam os refugiados muçulmanos que passaram a fronteira, para se estabelecerem neste Estado.

Embora o fato já tenha ocorrido ontem, ou anteontem, é a primeira vez que ouvimos uma referência: um popular diz para outro, à meia-voz: "Morreu Stalin!"

Ao lado mesmo do aeroporto, fica o alojamento dos passageiros em trân-sito ao longo de um jardim árido, um comprido alpendre com muitas portas. Abrimos a nossa. Abrigo modesto: três camas pobres, um pequeno banheiro. E o aviso: "Não beba desta água!" Não bebemos.

[1955]

Imagens do Paquistão

O Paquistão, que há pouco se separou da Índia, é um país curioso, do ponto de vista geográfico, pois o seu território consta de duas partes, uma a leste, outra a oeste, separadas por cerca de mil milhas. Karachi, sua capital, fica na parte do Ocidente, logo acima do delta do Indo, e possui bom porto e bom aeródromo.

Não se pode falar razoavelmente de um lugar onde apenas se passa um dia. No entanto, um dia bem aproveitado dá para se captar uma grande quantidade de imagens, quando se viaja pelo movimentado Oriente.

Talvez eu não tenha visto bem a cidade: mas a primeira impressão que dela tive foi a de uma grande aridez. Aridez diferente da de Haiderabad, onde a natureza pedregosa do terreno armava cenários de solidão, cinzentos e ásperos, com rochas fraturadas, amontoadas, desabadas: uma solidão tumultuosa, que sugeria mil antigos acontecimentos.

Em Karachi, a solidão era amarelada e arenosa. Dos veículos, como dos passantes, parecia desprender-se um vento pesado de poeira, cor de ouro fosco, muito densa e acre. Os lentos camelos que atravessavam as ruas puxavam carros também assim amarelados; eles mesmos pareciam cheios desse pó na sua pelagem ruiva e levantavam muito alto o perfil, como à procura de ar mais leve para a dilatada narina. Estava-se na cidade e pensava-se no deserto. A cidade, em si mesma, não dizia muita coisa. Dava a impressão de ainda estar sendo construída, apesar de algumas avenidas e de grandes casas comerciais.

No bazar é que estava o oriente muçulmano, com as infinitas imagens populares do Paquistão.

Vede: há o barbeiro que atende ali mesmo na rua a sua freguesia. Há os escribas: os antigos, que ainda fazem o serviço à mão, com pena e pote de tinta; os mais modernos, que já usam caneta-tinteiro; e os moderníssimos, que manejam a sua máquina de escrever. Há os vendedores de doce, com bolos cobertos de glacê cor-de-rosa ou verde. Há os carrinhos dessa gulodice que parece algodão, para a qual as crianças olham com o mesmo deslumbramento que as crianças do Brasil. Há muitas outras coisas de açúcar, manteiga, especiarias. Há óleo de rosas para o cabelo, água de rosas, rótulos com rosas retorcidas em hastes de espinhos, e a palavra *gulab* também retorcida, muito *art nouveau*, muito popular, em vidros simples, que as mãos cheias de joias das mulheres consideram com gesto vagaroso e refletido.

Tudo isso é num ambiente compacto, pois as ruas do bazar são estreitas, e os passantes, lentos, bem-nutridos, contemplativos, não dão passagem com facilidade. Há também as crianças. Crianças de colo, com grandes olhos cercados de colírio negro (contra o mau-olhado ou contra oftalmias?), muitos furos pela margem das orelhas, com seu fiozinho de linha preta e gordurosa, como se via no Brasil, antigamente, quando as mães se interessavam, como estas, em proteger com talismãs, bichas, brincos, argolas, estrelas, luas, corações, pingentes, pedras encarnadas, os ouvidos, que também são janelas, túneis, portas, por onde o Maligno, Satã, Chitan pode penetrar.

Justamente, o vendedor de colírio está diante de nós. É um enorme ancião de barba branca, sorridente e calmo, sentado à oriental na sua pequena loja. O colírio que ele vende não é aquele muito negro e oleoso que se faz com manteiga e fuligem, e desliza pela beirinha das pálpebras, sublinhando os cílios e emprestando ao olhar uma líquida mobilidade voluptuosa. Este seu colírio é um pó que ele raspa de uma pedra e mete nuns pequenos recipientes de metal branco, de gracioso desenho, cuja tampa ornamentada termina em estilete. É esse estilete, já carregado do pó com que está em contato, que se introduz por entre as pálpebras fechadas, num movimento leve e rápido, deixando marcada ainda a sua passagem no canto externo dos olhos, numa curva graciosa e esverdeada.

O vendedor de colírio também usa esses olhos, pois está fazendo continuamente a sua demonstração. Os fregueses ocidentais olham para aquilo muito desconfiados, cheios de noções higiênicas, temendo aquele estilete que passa pela vista, como se estivessem diante de uma lança, querem saber o nome do pó, a sua natureza físico-química, – porque os ocidentais são assim. Mas o vendedor de colírio que sabe que aquilo se vende desde o princípio do mundo, e que as mulheres ficam mais bonitas, e os homens mais expressivos, sorri com uma superioridade patriarcal, e continua a passar o estilete pelos olhos, a encher os frasquinhos prateados, a receber dinheiro, a devolver o troco, a raspar a pedra, a encher outros frasquinhos, hoje, amanhã, depois, até o fim do mundo.

Vede agora o mercado de ouro: as lojas são tão próximas que, quando se pensa que se está numa, já se está na outra, e não se sabe com qual dos donos se deve falar, – mas nunca é com o que se supõe, e sim com o seu vizinho. Os mercadores estão todos conversando uns com os outros, ou com os seus amigos e clientes. Alguns têm balanças à vista, outros traçam seus algarismos com lápis grosso em pedaços irregulares de papel: devem ser contas, cálculos ou pode ser que sejam projetos de filigranas – porque é tudo arabesco para cá e para lá, como vírgulas grandes, que dançam em diferentes compassos. As joias são tão conhecidas nossas que dificilmente podem surpreender: cordões de ouro, com medalhas, corações, luas. Frequentemente, uma pedra vermelha ou rosada, como um pingo de sangue no meio do ouro. Colares com moedas, com franjas, com várias correntinhas arregaçadas de vez em quando, em graciosas curvas, com flores de filigrana, com eglantinas que têm no centro uma pedra cintilante, como orvalho.

As mulheres paradas, com as crianças ao colo, com as crianças pela mão, – umas dormem, outras chupam balas compridas e coloridas – as mulheres olham, comparam, analisam, com as negras tranças desfeitas pelos ombros, a roupagem mole a desfazer-se também, nas suas inúmeras pregas... Os homens conversam, riem; quando se quer saber uma coisa, todos se aproximam ao mesmo tempo, são muito solícitos e a mercadoria parece coisa secundária, ocupação das horas vagas, para o intervalo das conversas, ou quando houver oportunidade imperiosa. Para quando Deus ordenar. Que isto são terras do profeta (paz sobre o seu nome!).

Vede agora o mercado da prata: os homens de cócoras, com suas pinças, a torcerem e retorcerem fios luzentes que vão sendo colares, pulseiras, correntes com abotoaduras para a frente das camisas... Há também flores, estrelas, crescentes, e muitas campainhas como pequeninos junquilhos, que estremecem a qualquer movimento, e cantam com suas minúsculas vozes sussurrantes... O ourives levanta para o público uma face feliz: a face do criador, no instante da criação. Vede como tudo isto parece imensamente fácil: dobra-se, enrola-se, prende-se, corta-se o fio – um liso fio de prata! – e aparece uma corrente. E as correntes se multiplicam, – e aqui se põe uma estrelinha, e ali outra, e depois os guizos, e tudo começa a brilhar e a soar, – e os olhos das mulheres pousam em redor como um bando de pombos negros, – e por mais que elas estejam carregadas de ouro e prata, e argolas e pingentes, e franjas e espiguilhas e medalhas e corações e sóis e luas e estrelas e filigranas e placas, e de tão sussurrantes pareçam torres com mil sinos, minaretes com mil muezins – desejam sempre mais, porque são como a natureza incansável, sempre com outros pássaros, outras flores, outras ondas e outras constelações...

Vede todo este burburinho diante das joias nascentes, que o artesão realiza com uma presteza tão grande quanto a da sua imaginação: pensávamos que aquele colar já estava pronto? – Não, – agora acrescentou-lhe mais umas voltas e deu-lhe um remate inesperado. Todos participam da sua obra, – o que lhe aumenta o virtuosismo. Esta é a lição do artesanato – escola onde as vocações se desenvolvem como liricamente.

Vede a fumaça que vem das frigideiras onde estão fritando comidas. Vede a multidão aglomerada. Vede a mão com um anel em cada dedo que leva à boca uma dourada almôndega. Vede as sedas cor-de-rosa desta mulher que passa, lenta, séria, quase triste, como um ídolo.

Fumaça, poeira, colírio, açúcar, óleo, tranças, barbas, muito ouro, muita prata, as pequenas ruas do bazar obstruídas... Será sempre assim, do começo ao fim dos séculos? Vede a mosca entretida, na beirinha do tabuleiro, com o seu pedacinho de doce. Nada a arreda do seu lugar: nem movimentos nem vozes. É a última coisa que noto no bazar. É mesmo um ponto final.

[1955]

Por falar em turismo

Nós, brasileiros, que amamos a nossa terra, – e como o Brasil precisa ser amado! – facilmente confundimos o nosso amor (cheio de esperanças e perdões) com o turismo dos visitantes que nos procuram. É um erro que merece ser corrigido, pois o turista, frequentemente, não é um poeta, nem um historiador, nem um sábio e nem um santo. As pessoas dessas categorias, – e na dos poetas estão incluídos os demais artistas – podem viajar em trens quebrados, em automóveis sem molas, por estradas de qualquer espécie, passando fome e sede, sob grossas nuvens de poeira e de mosquitos. Essas criaturas estão possuídas de sonho e fanatismo da mais pura qualidade: creio mesmo que levem um anjo da guarda inconfundível, que as suporta nas mais duras provas e as protege de todos os perigos.

O turista, porém, com ou sem anjo da guarda, é uma criatura diferente, cheia de exigências, que, antes de ver os panoramas, quer experimentar os colchões, antes de se extasiar diante de uma igreja ou de um museu, quer ver a cara do copeiro, e cujas necessidades numerosíssimas não há profeta do Aleijadinho que seja capaz de prever.

Por isso, quando me falam no turismo do Brasil, fico um pouco melancólica. Antes mesmo de naufragar na maré do Carnaval, o turista quer saber como se salvará, depois. Porque o turista é, a seu modo, um comerciante. É certo que o seu comércio é muito delicado: ele compra sensações de beleza, mas deseja que venham revestidas de sensações de conforto (muito mais fáceis, aliás, de desejar).

Passo em revista mentalmente o que possuímos do Brasil turístico, e lembro-me de lugares cheios de boa vontade, onde pessoas boníssimas, porém, com muitas espinhas nas bochechas, e unhas de luto, nos servem uns bifes muito duros e um arroz muito gorduroso, e umas laranjas muito azedas e um pão meramente simbólico, antes de chegarmos à apoteose do café, que costuma ser a mais refinada injúria a essa preciosa e tradicional riqueza de nossa muito amada e maltratada pátria.

Ora, uma das coisas que o turista deseja (porque o turista é desajeitado mas bem-intencionado) é entrar em contato com a terra e com o povo. O turista quer saber como é o nosso feijão e o nosso vatapá, e o que é um abacaxi (ai de nós, como o sabemos!) e uma jaca, e as diferenças que existem entre uma cobra e um sabiá. De modo que não se pode sempre levar e trazer o turista pelos ares, dando-lhe de comer em caixinhas, de papelão, e mostrando-lhe as estradas de 2 mil metros de altura... Não, nesse ponto, eu defendo o turista: ele merece ser bem tratado; e se o chamamos para lhe mostrar alguma coisa, devemos ser honestos e verdadeiros, pois o dinheirinho que ele gasta nessas coisas, pode não ser honesto (que sei eu!), mas não é falso.

E se estou falando nestas coisas de que algum dia me ocupei com entusiasmo sincero, e hoje recordo com certa pena, é por causa do turismo europeu, e, agora, especialmente, por causa destas pousadas portuguesas que – dentro do possível, e por um prazo limitado – procuram oferecer ao passante momentos agradáveis para se refazer das suas excursões. Envolvido por um ambiente simpático, regionalista, e, se não rigorosamente folclórico, com um aproveitamento feliz de certas coisas populares: recebido com carinho (pelo menos, se é brasileiro); e seduzido por certas especialidades culinárias que o tornarão feliz, antes de o tornarem obeso, – o turista, em Portugal, viaja como creio que nem os príncipes podiam viajar (incógnitos, quero dizer) há cem anos.

Gosto muito destas pousadas, e ainda gostaria mais se nós, brasileiros, não fôssemos tão anfíbios que andamos sempre pensando em banho, a qualquer momento, em qualquer estação e clima. Isso, porém, é defeito nosso, e com certeza é por esse desatino que nunca temos água que chegue. Mas também me parece que a água está acabando no mundo, pois não é só nestas pousadas que às vezes falta, dentro do quarto um riozinho particular, do tamanho – já não digo do Paraíba, – mas, pelo menos, do Maracanã... Fora disso, que sempre se pode remediar, as pousadas têm muita poesia e atração – algumas estão sempre cheias de noivos em lua de mel, – o que as torna assim uma coisa meio sagrada, que se olha de longe, com o respeito que nos merecem os recintos dos grandes espetáculos e ritos, como o Coliseu ou os velhos templos de Ísis.

Há pousadas que, no outono, ficam com o seu jardim coberto de folhas amarelas, nas árvores e no chão – e fazem pensar em Van Gogh. Outras, estão como perdidas no fim do mundo, suspensas à beira de abismos, e dão-nos a sensação de pairar entre o céu e a terra, numa platibanda de silêncio. Há também uma, pelo menos, instalada num velho castelo, o que nos permite, esquecendo os seus vistosos cretones, os seus móveis e o seu conforto moderno, viver uma outra época, de paredes de pedra, com escadas de degraus tão altos que nos mostram como hoje em dia somos uns tristes pigmeus.

Quando a pousada se compenetra da sua função turística e, além de um ambiente agradável, se propõe seduzir o viajante com algumas bruxarias culinárias, o hóspede é capaz até de esquecer a máquina fotográfica e perder completamente o interesse pela paisagem: porque ainda se encontra em Portugal um bacalhau que não é de náilon e uns ovos sem estrôncio, e umas uvas que não são de matéria plástica, e – já sem falar das uvas nem dos figos – quando numa cozinha portuguesa há bacalhau e azeite, ovos e açúcar, nunca ninguém pode adivinhar o que a imaginação lusitana, com suas heranças árabes, pode inventar para comover o visitante.

Não falo propriamente por mim, que resisto à condição turística: mas não ouvimos, todos os dias, pessoas excelentes que, ao falarem de Roma, citam os macarrões antes do Vaticano? E outras que, ao recordarem Paris, estalam com a língua e dizem, de olhos fechados, "sopa de cebolas", em lugar de dizerem, por exemplo, Louvre ou Notre-Dame? Não há quem caminhe léguas, mirando todas as tabuletas, até encontrar um anúncio de "rãs douradas"? E, no Brasil, mesmo, não é tão comum vermos pessoas que chegam de longe com um caderninho e um lápis, para copiarem receitas baianas, como se tais receitas existissem, como se não fossem de criação espontânea e privativa dessas poderosas mulheres cobertas de mantos, figas, turbantes, que aos seus bolinhos e pirões acrescentam benzeduras, sonhos, crenças, histórias, cantigas, – enfim, o seu mundo mágico, onde, na verdade, mais do que nos ingredientes, estão o perfume e o gosto de suas quitandas?

Pois o bacalhau não é assim uma coisa tão simples como parece: é um peixe (ainda que tanta gente duvide...), um peixe comprido na sua saudade do mar; um peixe com um sal que é como o das lágrimas; uma criatura de profundidade e horizonte, que de repente se vê na terra, seco e reduzido. Então, vem o bom cozinheiro lusitano, e põe-se a conversar com ele, e com suas histórias antigas de piratas e barcos, e violas e sereias, e adeuses e saudades, – aquilo que parecia uma triste múmia de peixe vai recobrando vida, e ganhando aroma e sumo, desmanchando-se, fibra a fibra, que nem os malmequeres quando com eles conversam os namorados.

O resultado é o que se vê na travessa: uma paisagem dourada, mais para se admirar com os olhos, se não fosse – muito mais que admiração – amor prová-la... E se houver em redor pratos de barro com peixes pintados no fundo; casas; louças de Barcelos; esses bonecos de Estremoz, com seus cajados e suas carapuças; essas jarrinhas de barro cor de ardósia, que parecem de carvão e de prata; essas mantas riscadas; esses bordados azuis de Viana; alguma coisa vinda tão diretamente da imaginação e das mãos do povo como este prato da imaginação e das mãos do cozinheiro... então, ah!...

Às vezes, as pousadas estilizam esses temas. As coisas ficam muito mais turísticas do que folclóricas... Mas também não se destinam mais aos turistas do que aos estudantes de folclore? – e fica uma coisa pela outra, tendo de permeio um artesanato que costuma ser de bom gosto.

Como as pousadas podem inventar mil receitas curiosíssimas para o paladar do viajante é natural que este, se a sua carteira o consente, seja capaz de passar mil dias em cada uma, distraído com essas invenções. (Isto sem falar no que há pelos arredores: igrejas; capelas; museus; palácios com pajens atrevidos, esposos barbudos e damas consequentemente apunhaladas; bibliotecas; jardins; azulejos; fontes; pedras tumulares; o lugar onde esteve Fulano, onde Sicrano passou etc.) Mas as pousadas não permitem esses abusos de bom gosto e de dinheiro: no que fazem muito bem. Tantos dias para cada um: e assim cada qual pode ter a sua fatia de felicidade.

Felicidade que se vê como é pujante nas páginas dos "Livros de ouro" que as pousadas às vezes ostentam, e no qual se aprende que há muito mais poetas no mundo do que se pensa, e muito mais escolas literárias do que se imagina. (Mas, se o Brasil fosse turisticamente tão bem-organizado, – que me desculpem os amigos de aquém e de além-mar: neste capítulo, não seríamos vencidos!)

São Paulo, *O Estado de S. Paulo*, 24 de fevereiro de 1956

Trem amoroso

A princípio, éramos dois. E eu, como dona da janela, me dispunha a ser feliz por várias horas, com os encantos que a paisagem desdobra de Veneza a Milão.

De repente, chegou a moça. Muito bonita. Cheia de primavera. Uma primavera inquieta, que não a deixava sossegar. Sentava-se, levantava-se, ia para o corredor, abotoava e desabotoava o belo casaco cor de abóbora, mostrando e escondendo um vestido muito festivo, azul, amarelo e verde. Sentava--se, levantava-se, punha e tirava os óculos escuros. Encontrou um conhecido, ficaram de pé conversando. Seus lábios repolhudos, úmidos, cheios de riso e de espuma. Seus olhos negros, dourados, luzentes, intranquilos.

E o trem deslizando por uma serena paisagem, entre os macios tons de uma primavera ainda fria.

Na primavera estação, o amor entrou na cabine. O amor sentou-se, com um sobretudo cor de pombo, cinzento e roxo. Um sobretudo novo, que ambos admiravam, nos seus diferentes fios, e nos lustrosos botões. Ela conserta-lhe a gravata. – Os homens nunca sabem colocar bem uma gravata! – Ela contempla--o de perto e de longe. Seus olhos brilham muito mais, sua boca está muito mais franzina e úmida. Ele está deslumbrado, inibido, com os negros cabelos trescalantes de brilhantina, as unhas bem lavadas, o sobretudo novo, a gravata bem no lugar...

De modo que somos quatro, agora. E para não perturbarmos este idílio que o destino instalou na nossa cabine, multiplicamos o nosso interesse pela paisagem, da linha férrea até os confins do horizonte e aos sítios remotos que a vista não pode atingir.

De repente, sinto que somos cinco, porque um braço pequenino mas ditatorial avança para a cortina da janela, e uma voz antipática me explica, fanhosa e concisa: "O sol me incomoda!"

Oh! na terra de São Francisco de Assis haver um bárbaro que exclame: "O sol me incomoda!"

> *lu frate Sole, lu quale lu iorno allumeni nui per lui;*
> *et ellu è bellu e radiante cum grande splendore...*

Subitamente, ficamos às escuras. Quando pude ver, vi um homenzinho que parecia um mosquito, e usava óculos bifocais, e tinha cara de muito aborrecido, e lia um jornal todo amassado, com tão fabuloso interesse como se fosse um criminoso lendo as providências da polícia na sua captura, ou um escritor maltratado por um crítico inimigo. Mas não devia ser.

Os dois amorosos gostam daquela penumbra. Os olhos dela de tão líquidos quase se entornam pelo rosto. As mãos dele, desarticuladas, ora estão nas lãs dos capotes, ora na seda do seu cabelo, ora no rosto, ora nos ombros... E quando chega o capítulo dos beijos, o mosquito que não gosta do sol passa os olhos do primeiro para o segundo pavimento dos óculos, e tenho receio de que exclame: "Os beijos me incomodam!" – para continuar aquela voraz leitura no repugnante jornal todo amassado.

Quanto a mim, só me desgosta um pouco – afinal, é a minha paisagem, depois que desceram a cortina da janela... – o pescoço do jovem enamorado. Porque é desses que têm a maçã de Adão muito saliente, o que, a meu ver, perturba a harmonia das linhas, sobretudo em cenas tão importantes como as que estão sendo vividas.

Entretanto, há laranjadas, sanduíches, movimentação maior de passageiros, e logo passamos a ser seis. É que entrou uma senhora francesa, pequenina, vestida de turista cor de ferrugem, toda ruiva, da cabeça aos pés: cabelos, capote, sapatos, carteira e máquina fotográfica. Ruiva e sozinha.

Entrou e foi para o seu cantinho, e começou a querer fazer coincidir o lugar em que estávamos com o mapa da Itália aberto nos seus joelhos. Ia tão séria como quem resolve um problema de palavras cruzadas. Mas é tão difícil ajustar o lugar do trem com o desenho da estrada, que ela humildemente renuncia, fecha o mapa e olha para longe, pela outra janela, com delicada melancolia.

Os namorados é claro que não a viram, – porque os namorados não veem ninguém. Mas o leitor do jornal, o inimigo do sol, esse, interrompeu a leitura e começou a contemplar a francesa ruiva como uma paisagem inesperada, feita especialmente para os seus olhos, fatigados de lentes bifocais, raios de sol e jornais amassados. Não quer saber mais de notícias: se a polícia anda atrás dele, se o crítico investe contra o seu livro, – não importa. O que importa é a francesa cor de tijolo, com seu mapa, sua máquina fotográfica, seus pezinhos que com dificuldade tocam o chão.

Então, como o sol já deve estar bem alto, levanto a cortina, e volto-me toda para as cores do dia.

Daqui a pouco, sinto um diálogo, num italiano tímido:

– *Si, si, se può vedere il Lago?* – *Molto grande?* – *Molto piacevole?*

– *Molto! Molto piacevole!*

Os namorados não conversavam. Contemplavam-se. Miravam dedos, unhas, bainhas de casaco, botões de camisa, pelos de barba, pestanas... Mas os outros dois vizinhos trocavam lições de geografia e gramática, a propósito do lago de Garda.

– *Molto bello...*

– *Très beau...*

A ruiva francesa desejaria passar as férias ali. Ver a água. "*L'eau...*" O inimigo do sol refrescava-se todo, e ensinava: "*L'acqua...*" – "*Sì, l'acqua...*" – E estava feliz, e olhava pela faceta de cima e pela faceta de baixo dos seus óculos, – e certamente se equivocava, de vez em quando, tal era o seu entusiasmo em não perder de vista nem a dama nem a paisagem.

Ela falava com uma lentidão preguiçosa de gatinha nostálgica, num caramanchão de jasmins. Mas era por não saber muito italiano.

E como nessa ocasião já se ia avistar Brescia, e o inimigo do sol queria ensinar tudo à sua dama, levantaram-se os dois, e nós também, porque é uma alegria ver surgir na terra o que no mapa é apenas uma rodinha e um nome. Brescia. A antiga Brixia dos romanos... – como vem nos guias...

Não vi nada: ele, porém, com as duas facetas das suas lentes, e dispondo o pescoço em várias posições, explicava à sua dama, pequenina e lânguida, águas azuis, apertadas, em montanhas, brisas, verões, paraísos, delícias... E ela, toda ruiva, olhava para longe, para esses sítios onde habitam os sonhos, e murmurava, para aprender bem: "*Lago di Garda... Riva... Troppo lontano...*"

Ao que ele dizia, como um deus onipotente: "*No, no, circa, dietro...*"

Os namorados tinham desaparecido, naturalmente arrebatados por deuses comovidos.

O inimigo do sol continuava a mostrar com o jornal dobrado, esquecido, coisas que a francesa não via, – mas que ele sentia perto, próximas, porque também começara a delirar, assim mesmo calvo, feio, com um sobretudo tão antigo.

Na verdade, ela só avistou o que nós avistamos: aqueles cachos de flores roxas pelos alpendres, pelos jardins. E perguntou como pôde: "*I questi fiori?*" – "*Questi fiori!...*" – Ficou pensativo e triste, porque não se lembrava. Abaixou os olhos. Levantou-os. Não encontrou nada, nem do lado de baixo nem do lado de cima dos óculos. Deu um estalinho com os dedos. Mas nem os dedos agarraram a palavra. "... *Questi fiori...*"

Tive tanta pena, que ajudei: "Na minha língua, chamam-se glicínias..."

"*Ecco!*" (Nem me agradeceu, mas principiou a dar uma lição de botânica à sua dama...)

Rio de Janeiro, Diário de Notícias, 10 de junho de 1956

Longe vão ficando

Longe vão ficando os vastos jardins de Versailles, com suas magníficas águas, com suas estátuas e bosques, por onde agora se recordam dias antigos, fazendo reviver vozes, sons, diálogos, em cenas invisíveis, mantidas só pela delicada ilusão de luzes e ecos. Acreditamos de repente que tudo isso existe. Esperamos que, enfim, as figuras apareçam, e estamos atentos e emocionados. Mas é como se apenas os fantasmas viessem recordar o já vivido e outra vez se contemplassem e reconhecessem, – deixando-nos só uma leve franja da sua presença, no parque de águas e árvores tão musicais.

Longe vai ficando Chartres, com seus vitrais de safira e rubi, com seus anjos e santos de pedra, em suas narrativas de eternidade. Como a Santa Capela, cheia de música, à luz de candelabros; como a Notre-Dame, ressoante do murmúrio de ofícios; como Saint-Germain-des-Prés, arruinando-se, toda recamada de estrelinhas de ouro no azul profundo; como St. Sulpice, patinada de negro, com o adro repleto de espectadores friorentos, que assistem a uma representação de Santa Joana, – tudo isso são visões de glória que se vão fechando nas sucessivas portas do tempo.

Longe vão ficando as nobres fachadas da ilha São Luís, com frondes já românticas para arquiteturas ainda tão clássicas. Gente muito antiga parece estar atrás das janelas fechadas, dizendo versos que não têm data:

> *L'un meurt, qu'à sa fantaisie*
> *Il ne s'avance à la cour;*
> *L'autre meurt de jalousie;*
> *Et moi je me meurs d'amour.*

Longe vão ficando esses palácios, que lembram a comedida graça, um pouco artificial, é certo, – mas com que elegância inolvidável – de Voiture, Malherbe, Urfé...

Longe vão ficando os castelos prateados, as casas de cara pontuda e pálida, fechadas na alta noite, como sem dono atual, só de donos históricos, e até sem grande importância, mas que agora, pelas distâncias da morte, e os mistérios da noite nevoenta, são pessoas poéticas, com suas invejas, suas ambições na corte, suas pequenas tragédias e comédias de cada hora, e suas variadas, inimagináveis intrigas sentimentais. "*Et moi je me meurs d'amour.*"

Longe vão ficando as melodias de Royaumont; Angers, com seu poderoso castelo, onde agora se vem fazer teatro, como se tudo fosse inverídico, apenas sonhando: maciços contornos de pedra, o drama aberto na noite, sob um céu límpido; as sombras nestas areias, pisadas por muitos séculos, as mãos nestas mesas onde se celebram os biscoitos de anis e os vinhos d'Anjou.

Longe ficam as margens do Loire, com seus castelos seguidos, – estampa desdobrada entre a água e o céu, quadro na parede de ar de um povo que vai tecendo passado, presente e futuro. Os meninos modernos atendem às bombas de gasolina, falam de marcas de automóveis, têm curiosidades vivas e atuais, – enquanto as cidades vão passando, e vão aparecendo outros céus, outras águas, outras imagens, nessa terra que é como um belo livro de muitas histórias, muitas batalhas, tudo entrelaçado com as histórias e batalhas da Europa e do mundo.

Longe vão ficando estes castelos iluminados onde, como em Versailles, se contam ao povo episódios antigos, vividos nas suas salas, nos seus pátios, nos seus jardins de árvores tão altas, cujas areias rangem agora sob os nossos passos, na densidade fria da noite.

Longe vão ficando estas festas. Estas sombras à beira d'água, nos estreitos caminhos que mal se avistam. Longe, as esquinas aconchegadas, com as casas adormecidas, e todos os moradores sonhando, mergulhados, muito longe, em visões insondáveis. Longe estes grupos de moças, como fantasmas serenos, que andam por estas escuridões, – leves e amáveis, com suas sombras, seus ecos, levitantes, como translúcidas, ao sabor do vento, – quem sabe saídas dos bosques, das ondas, sem rumo nenhum, prontas a desaparecerem diante de nós, como alucinações de neblina?

Longe vão ficando as inesquecíveis edificações de Bordeaux, esse rosto do século XVIII, refletido no espelho da água, simples e majestoso, na sua pensativa seriedade.

A cidade é móvel, moderna, cheia de novidades, – mas esses aspectos de hoje não perturbam a dignidade dos velhos palácios, que se encontram, que conversam – evidentemente conversam – com as palavras antigas e sempre jovens de suas deusas e de suas musas.

Ah! como vão ficando longe estes caminhos que nos trouxeram até aqui, desenrolando ao sol a fita verde dos campos, a fita azul do céu festivo, uma alegria pagã de terra cultivada, a luz, o vento, a vastidão de um paraíso.

E longe irá ficando esta cidade, cuja praça, cujo cais, cujas estátuas olharemos com saudade estranha, quem sabe se pela última vez.

E longe ficarão os novos caminhos, grandes e belos, com um sol que leva muito tempo a desaparecer. Como num imenso jardim, entraremos por alamedas sussurrantes de vento, amaremos árvores, janelas, a flor aberta, a sombra dos ramos pelas pedras. E estaremos em Biarritz, e veremos muita gente olhar para o mar azul e branco, e pensaremos nas praias do Brasil, que nos parecerão grandes, imensas, do tamanho do mundo.

E longe ficará Biarritz, com seus cafés, seus doces, seu turismo; argentinos que tomam sorvete; casais fabulosos com sapatos que parecem do século passado; moças que vendem lencinhos bordados. E... "*comme élégante*", "C... *comme charmante*", – uma espécie de linguagem das flores, de jogo de salão, de tempos de berlinda e de amigo ou amiga... Ó infância minha, restituída em Biarritz pelas esquinas apertadas diante de vitrinas com carteiras de crocodilo!...

Longe ficará tudo isto, porque a estrada não para: porque seguimos como por dentro do sol, nesta faixa luminosa que vai da França à Espanha, perdidos na larguíssima paisagem, subindo e descendo este colorido carrossel que se inclina para San Sebastián.

A fronteira avisa que se aproxima. Ai, que nos esquecemos de ir a um sítio onde se comem umas famosas comidas bascas! Ai, sempre se esquecem muitas coisas, quando se viaja!...

Longe ficará a fronteira, com seus guardas tão pitorescos, que sempre olham para os viajantes como se fossem celerados, e para os celerados como se fossem viajantes! Espanha à vista. Olé!

Rio de Janeiro, *Diário de Notícias*, 21 de outubro de 1956

Figuras da paisagem

E aqui estamos diante da Universidade de Salamanca. Ditosos os povos que podem dizer: "Há setecentos anos já pensávamos numa Universidade!" Mais ditosos os que por ela viram passar estudantes e professores famosos em cada século e podem ouvir entre as suas paredes vozes recentes e vozes antigas procurando, com este veículo humilde da palavra, organizar, pela cultura, a dignidade da condição humana. E contemplamos esta fachada plateresca, com seus painéis lavrados; seus enredados florões que ainda não conseguem esquecer o arabesco mouro; seus escudos, seus medalhões, suas rendas de pedra, – e os reis que, unidos e separados pelo cetro, contemplam, como por uma pequena janela redonda, a vida desta cidade célebre, de onde, algum dia, se levantava a ciência, como o sol...

De *Fray* Luis de León a Unamuno, meu Deus, quantos caminhos e quantas aventuras! Este *Fray* Luis de León – todos o sabem – é o agostiniano que traduziu o *Cântico dos cânticos*, o que facilitou à Inquisição metê-lo na cadeia. Pergunta-se: pela índole voluptuosa do universalmente admirado poema bíblico? Por que o século XVI ainda não consentia na tradução da Bíblia em língua profana? Por inveja? Por mentira? Sim, por mentira e inveja, pois os grandes poetas sempre dizem a verdade, e *Fray* Luis de León foi um grande poeta e, quando saiu do cárcere, escreveu estes versos, cujo endereço, com certeza, conhecia:

> *Aqui la envidia y mentira*
> *Me tuvieron encerrado.*
> *Dichoso el humilde estado*
> *Del sabio que se retira*
> *De aqueste mundo malvado,*
> *Y com pobre mesa y casa*
> *En el campo deleitoso*
> *Com solo Dios se compasa.*
> *Y a solas su vida pasa,*
> *Ni envidiado ni envidioso.*

Este *Fray* Luis de León é o professor que, depois dos cinco anos de prisão (por inveja e mentira, como declara), voltou à cátedra, e começou assim a aula: "Conforme dizíamos ontem..."

E muito principalmente – deixando de lado poemas religiosos, "*La perfecta casada*", tradução dos clássicos latinos e gregos e pequenas obras de circunstância – *Fray* Luis de León é o autor daquela coisa muito linda glosada sobre esta "letra":

> *Vuestros cabellos, señora, de oro son.*
> *Y de açero el corazón.*

Por todos esses motivos, e também porque, segundo parece, nunca fez muito caso do que escreveu, *Fray* Luis de León é uma figura de sonho, nesta Universidade: um fantasma, de lirismo igualmente humano e místico, de cujos lábios continuamos a esperar o elogio da vida simples, a observação da vaidade do mundo, a melancolia do amor inútil... – "*Muerto de amor, serás veviticado...*" – (Mas era do amor divino que ele falava, nesse verso.)

Enfim, esta cidade de Salamanca, com a sua Casa das Conchas, é um sonho de saudades do apóstolo San Tiago, em seu rumo para a Espanha, e dos velhos caminhos para Compostela: no chão e no céu. (E, no chão e no céu, tudo são "campos de estrelas"... – Compostela.)

Esta cidade de Salamanca, toda recolhida em suas lembranças, em sua grandeza, vestida com estes suntuosos trajes de arquitetura róseo-dourada, que resvalam pelas ladeiras, que se arregaçam em degraus, que adormecem em pregas nas paralelas colunas, é um desses belos lugares do mundo em que se tem vontade de parar longamente, e compreende-se que aí se tenha detido esse cavaleiro andante, cheio de moinhos e lanças que foi Dom Miguel de Unamuno. Para essas aventuras da sua imaginação, para esses combates, para essa constante inquietude, Salamanca dispunha de amplidões que não propriamente as geográficas, – estas amplidões que vamos sentindo diante de coisas até aparentemente pequenas e que, no entanto, nos arrebatam por uns lugares – oh! uns divinos lugares! – onde se pode pensar.

Era o que eu estava sentindo quando as velhinhas (saídas de que pedra? de que torre? de que arco?) me vieram oferecer umas toalhas bordadas que não estavam ali, mas no seu mundo encantado, e que eram bordadas, rendadas, ai! – umas toalhas dignas do enxoval de *Doña Rosita, la soltera*. Mas o que estava, sim, ali bem perto era um desses senhores de cara azulada pela barba densa, vestidos de cinzento e preto, com sombrio boné, que suponho serem aqueles de "alma de charol", a que se referia García Lorca. E, decerto por essa presença, as velhinhas se diluíram no ar, desapareceram com as suas toalhas mágicas, e ficou somente, pelas imediações, o tal senhor com o seu cinturão preto, marcando passo pela calçada.

Na verdade, não ficou somente ele. Havia um engraxate. Ah! quem não engraxou os sapatos em Salamanca, não fale de sapatos lustrosos, pois não sabe o que está dizendo! É preciso ver esta técnica de duas escovas que vão e vêm, com ritmo e vigor, tirando chispas do mais coçado borzeguim! De vez em quando, o engraxate revira o sapato na mão, enchendo a rua de holofotes. Mas é um artista insatisfeito. Lança mão de vários recursos particulares e exclusivos, que não são para revelar. Zás-trás, zás-trás, as escovas vão e vêm, o couro enlouquece e vira espelho: o engraxate contempla de perto e de longe, de longe e de perto, com olhos de lapidário e de pintor. Só então sossega. Não é para admirar que lhe déssemos mais serviço. Pois estamos indo para Portugal, e até à fronteira não encontraremos outro engraxate como o de Salamanca! Mas o homem de cinzento e preto vem chegando. O engraxate olha para ele cautelosamente. O homem de "alma de charol" faz mais ou menos as seguintes perguntas: "Quantos pares de sapatos engraxou? Por que foram engraxados tantos pares de sapatos? Esta gente é portuguesa? Para onde vai esta gente? Acha que poderia arranjar um lugar para mim no seu automóvel?" Diante de uma pergunta destas, e tratando-se deste senhor, o automóvel se acelera sozinho, carregando a Universidade, *Fray Luis de León*, Unamuno, as velhinhas mágicas, o maravilhoso engraxate, e parte sobressaltado, para um lugar tranquilo, sem bonés e sem cinturões.

E já estamos longe, quando avistamos uma sombra sem cinturão nem boné, que, de braço levantado, nos está falando. E prestamos atenção, e ouvimos: *"Pues sepa vuestra merced ante todas las cosas que a mí me llaman Lázaro de Tormes, hijo de Tomé González y de Antona Pérez, naturales de Tejares, aldea de Salamanca. Mi nacimiento fué dentro del rio Tormes, por la cual causa tomé el sobrenombre..."*

(Mas era assombração, assombração matinal – e tudo porque, no mapa, as letras azuis diziam "Rio Tormes", e o desenho da água cortava a linha vermelha da estrada – N. 620. E o castelo de Ciudad Rodrigo ilustrava o mapa, depois do Tormes, depois do Huebra, para os lados do Águeda, por onde se vai, por Guarda, para Portugal.)

E então o sol brilhava pelo campo amarelado. E havia uma solidão grandiosa e bela. E de muito longe se ouvia a antiga voz maliciosa do Lazarillo...

Rio de Janeiro, *Diário de Notícias*, 16 de dezembro de 1956

Lisboa, em junho...

Lisboa, em junho, é o paraíso dos folcloristas que querem assistir às festas de Santo Antônio, São João e São Pedro. Infelizmente, chegamos à última hora, e não nos resta senão ir por aqui e por ali, entre estas ruelas antigas, ver os restos da decoração de papel de seda pelas janelas, ou atravessada por estes labirintos; e, ao longo destas mesas armadas ao gosto popular, e cobertas de comidas típicas, ouvir de vez em quando o fado que alguém toca e alguém canta no desvão de alguma porta.

Há "fados" e "fados", – todos o sabem – com letra plebeia, com letra erudita, uns cantados por desabafo, outros por turismo. Há quem deteste o fado, como há quem o adore e seja capaz de ouvi-lo todos os dias. Eu não chego a esses extremos, e acho que de vez em quando são interessantes. Mas tenho visto muito boa gente mudar de fisionomia, deixar-se estar de olhos parados, logo que as guitarras começam a vibrar, – e creio que esse êxtase, profundo e sincero, é uma prova da vitalidade do fado.

O fado soa-me a coisa cigana, trazida de longe, de raízes orientais, – mas é uma opinião sem valor, porque não sou musicóloga. Ouço dizer que é mouro, não acredito, – mas algum dia se saberá – e até é bem possível que já se saiba, e estas minhas presentes palavras sejam apenas uma graciosa demonstração de imperdoável ignorância.

Em todo caso, a minha curiosidade sobre o fado levou-me a ler um livrinho já não muito recente (Pinto de Carvalho, *História do fado*, 1903), onde encontrei não o que andava buscando, mas justamente o que não imaginava encontrar.

A certa altura, diz o autor:

> ... em 1824, a licenciosidade das cantigas dos guitarristas chegou a ponto tal e tamanho, que os agentes policiais notavam o fato como digno de corretivo. Assim, a parte de polícia de 31 de agosto daquele ano dizia: "Murmura-se que em uma capital policiada como Lisboa, se consintam bandos de cegos e vadios com guitarras pelas ruas, entoando cantigas indecentíssimas e obscenas, como as que agora andam em moda – do Negro Melro – a cujo acompanhamento de guitarra se seguem trejeitos escandalosos, e não pouco ofensivos à decência e moral pública!... vendo-se até o honrado chefe de família, que presa os bons costumes, na precisão de não consentir que seus filhos cheguem às janelas para não beberem em fonte impura tão pestífero veneno.

A seguir, o autor estampa sete quadras, seis das quais começam pelo mesmo verso, que é: "O ladrão do negro melro".

> O ladrão do negro melro
> Toda a noite assobiou,
> Lá por essa madrugada
> Bateu as asas, voou.

Assim, pois em 1824, eram muito cantadas em Lisboa, e consideradas indecorosas, as quadras que hoje pertencem à "Prenda minha", e onde o verso que, com certeza, tinha, na época, sentido inconveniente, se transformou, pela censura dos cantadores e dos tempos, em "Noite escura, noite escura", ou "Chimarrita do pé torto", ou outras tantas substituições do folclore gaúcho.

Encontram-se ainda no livro duas citações que interessam ao folclore brasileiro. Uma, relativa à Maria Cachucha, também com sete quadras, das quais, só uma era conhecida das crianças de meu tempo:

> Maria Cachucha,
> com quem dormes tu?
> – Eu durmo sozinha,
> sem medo nenhum.

Esclarece o autor que era "trivialíssima" e "já se dançava com os fandangos e os boleros, no tempo em que Maria la Ruiz bailava o fandango no Salitre e Maria Guidetti o bolero, em S. Carlos (1802)".

A terceira citação é a do "Pezinho", que o autor informa ter sido "cantiga correntia nas ruas de Lisboa, desde os princípios do século XIX".

Conheço quatro "Pezinhos" açorianos: o "Pezinho velho", o "Pezinho, sim meu bem", o "Pezinho das Caldeiras" e o "Pezinho, ai, meu amor". Todos têm letra lírica, sem relação com o que vem aqui citado. Mas a dança gaúcha do mesmo nome, e um estribilho infantil de cantiga de roda, bastante generalizado no país são, como se pode ver, adaptação destes versos antigos:

Ponha aqui,
Ponha aqui
O seu pezinho,
Ponha aqui,
Ponha aqui,
Ao pé do meu.
Se ele é torto,
Se ele é torto,
Ou aleijado,
Foi jeito,
Foi jeito,
Que Deus lhe deu.

Estou contente do meu par,
Foi condão de Deus mo dar,
Ponha aqui,
Ponha aqui
O seu pezinho,
Ponha aqui,
Ponha aqui,
Ao pé do meu,
Ao tirar,
Ao tirar,
O seu pezinho,
Ai, Jesus!
Ai, Jesus!
Que lá vou eu!

Estou contente, etc.

Mas não é nada disso que se está ouvindo, nesta noite de São Pedro, em Lisboa. Aqui, é o bom fado lacrimoso, de amor incurável, com saudade pungente. Fado e tango devem ser assim: com uns homens e mulheres horríveis (no texto, é claro), ingratos, cruéis, insensíveis; e depois uma grossa nuvem de remorso, castigo, arrependimento, – e, mais adiante, uma ou duas facadas, imaginárias, naturalmente; o cárcere, a morte, e, uma vez ou outra, Deus tomando o partido da vítima, e consolando-a.

O português é uma criatura de muita paixão. Um amoroso, um ciumento. O fado deve resolver certas situações psicológicas. Quando os meus amigos saem do seu êxtase, depois de meia dúzia de canções dessas, com as devidas lágrimas e os necessários castigos, são outras pessoas, novinhas em folha. Andaram lá nas suas cavalarias mentais ferindo e matando meia dúzia – ou mais – de ingratos e traidores, – e regressam felizes, depois desse ajuste de contas. Aí, com a alma aliviada, pode-se caminhar pela velha Lisboa, que é ainda a que eu mais amo, embora sejam muito bonitos estes bairros que vão surgindo, com janelas sobre janelas, como, outrora, azulejo sobre azulejo, tudo muito clarinho, muito inocente, muito festivo, azul, cor-de-rosa, amarelo, verde, branco...

Eu gosto é dos chafarizes, dos lampiões, de certas perspectivas, de certas portas, de certas pedras. E do Tejo. O Tejo com seus barquinhos é uma coisa linda de olhar, seja de um lado, seja do outro, seja do céu, – quando se veem as ondas desenhadas uma a uma, como trança desmanchada de sereia.

> Fragatinha holandesa
> anda no mar de Lisboa...

(Os portugueses preferiram cantar: "Fragatinha, ó lindeza"..., – por outras razões, é claro. Mas era e ficou sendo lindo.)

Rio de Janeiro, *Diário de Notícias*, 27 de fevereiro de 1957

Até Lisboa

E dizem, de Guarda, que é a cidade dos quatro "ff": forte e feia, fria e farta. Mas isso deve ser em capítulo de rivalidades folclóricas e por fatalidade da rima... (*"Fuerza del consonante, a cuanto obligas!..."*).

Forte? Feia? Farta – não o saberemos. Fria, não. Neste meio dia de junho, brilha sobre Guarda um sol dourado e quente: e há tentações turísticas pelos quatro lados desta altíssima cidade, tão antiga. Desponta, de repente, a imagem de D. Sancho, que a levantou nestas alturas, e cujo nome ficou ligado àquela famosa cantiga velha que a "Ribeirinha", "branca e vermelha", talvez cantasse:

> Ai eu, coitada, como vivo
> en gran cuidado por meu amigo
> que ei alongado! muito me tarda
> o meu amigo da Guarda!

E eis que vejo o rei D. Sancho, manto e saia de escarlata, por essas terras além... (Permito-me quase trovar.)

> Rei D. Sancho, rei D. Sancho,
> como vos celebraria,

> sem o sangue, sem o pranto
> que destes à Andaluzia!
>> Não vos quero mal: porém,
>> é que amo os mouros, também...

Embora rei do Algarve, D. Sancho, se foi mesmo o poeta do cancioneiro, compreenderá estas minhas inquietações sentimentais, ao passar pela terra de Guarda, onde é tão viva a sua sombra, – deixará que a minha, muito mais tênue, se aproxime de Celorico da Beira.

Na verdade, não sei bem por que vamos por Celorico da Beira, quando uma outra estrada, no mapa, se nos afigura mais curta. Mas as pessoas da terra sempre sabem mais que os forasteiros. Iremos, pois, por onde nos aconselham.

Já o nome de Celorico é um pequeno enigma no labirinto vermelho e azul das estradas. Logo adiante, encontraremos outra esfinge no caminho... Mas Portugal está bordado de palavras surpreendentes. Não é só aqui, Fornos de Algodres, mas, ali, Freixo de Espada à Cinta; do outro lado, Santa Comba Dão; lá para cima, Carrazeda de Ansiães... E estes lugares de sonho que se chamam: Barca d'Alva, Ervas Tenras, Vale de Prazeres, Portela do Vento, Penhas Douradas, Rio de Moinhos... Há mesmo um lugar fabuloso que se chama Alfândega da Fé! E o que não daríamos para ficar conversando sobre esses nomes, viajando por dentro das palavras, na paisagem do tempo, muitas vezes mais bela que a paisagem do espaço!

Aqui há nomes que devem ter sido inventados para quebrar a cabeça do turista: Alfarela de Jales, Alter do Chão... Outros, que parecem jogos infantis: Fiolhoso, Gafanhoeira, Alto do Velão... Os nomes em letra pequenina, escondidos no intricado desenho do mapa, são, às vezes, os mais engraçados: Vera Cruz do Marmelar e este outro: Castanheira de Pera, – coisa de poeta burlesco, como aquele que cantou:

> Quando o sobreiro der baga
> e o carvalho der cortiça...

Pois em Celorico da Beira cai um chuvisco muito agradável, que solta pelo ar um cheiro bom de terra molhada, a sensação de folhas verdes, de frutos em botão, de pesadas casas tranquilas, onde o silêncio é como o tempo de um sino imóvel no campanário.

A claridade de Guarda obscureceu-se detrás destas nuvens, e vamos aquecer os ossos e a imaginação com um cafezinho servido por um homem de ar muito antigo, – tão antigo que já devia existir na era de D. Sancho, ou, pelo menos na de D. Diniz, o que não faz muita diferença. Pois além de tão antigo, o homem tem seu ar de poeta, – coisa, aliás, não muito difícil de encontrar por estes caminhos peninsulares. (E eis um homem tão longe de tudo que nem me pergunta se pode ir para o Brasil!)

Já vão sendo três e meia, – e, se tudo correr bem, em duas horas passaremos por Coimbra. Será como se atravessássemos uma velha gravura, que nos parecerá um pouco modernizada. Amaremos essa luz que delicadamente recorta em múltiplos pormenores a encantada e decantada cidade dos estudantes. Acharemos, talvez, o Mondego muito curto de águas. Que é feito das ondas de todos estes rios do mundo? Onde estão as espelhantes curvas do Mondego que há tempos conheci? Recordo-as agora, e, nos seus "saudosos campos", os formosos olhos daquela "que depois de ser morta foi rainha".

A Universidade, lá no alto encastelada; e nós a descermos vertiginosamente, como um guerreiro de D. Sancho no encalço do inimigo. Assim correremos até Leiria, cujo famoso castelo já se vai sombreando com a inclinação do sol. O inimigo que perseguimos é o tempo. "Lisboa é longe", como diz o Alberto de Serpa, – e temos de lá chegar ainda hoje. Assim, pois, adeus, também, ao castelo e ao pinhal de D. Diniz ("Ai, flores do verde pino!..."); tempos das pastoras "ben talhadas" ("De que morredes, filha, a do corpo velido?"); tempos das auroras claras e da roupa lavada nos rios ("Levantou-s'a velida,/ levantou-s'alva..."). Tudo isso vai saindo do pinhal de Leiria, que o crepúsculo aponta:

> Vede la frol do pinho,
> valha Deus!
> Selad o baiozinho
> e guiade d'andar.

O nosso "baiozinho", coitado, está bebendo gasolina, e, logo que mate a sede, "guisaremos" de andar por essas encostas abaixo, antes que a noite caia pelas inúmeras curvas, simples e duplas, para a direita e para a esquerda, em zigue-zague, – tudo muito bem sinalizado, mas interminável, interminável, interminável, para quem começou a viajar às nove da manhã, em Salamanca...

E assim se descobrem, no fim do dia, as agulhas da Batalha; e, daí a pouco, sabe-se que é Alcobaça, e, mais adiante, Caldas da Rainha, e já se faz sombra por toda parte, uma sombra de prata, que vai consumindo lentamente os contornos, as cores, e apontando Lisboa, Lisboa, Lisboa, – cidade encantada que não aparece nunca.

E afinal, aparece, oh! – e ainda não é tão tarde que não esteja um amigo acordado para ouvir a odisseia destes viajantes-fantasmas, tontos de vencerem, no mesmo dia, as terras de Espanha e as areias de Portugal.

Além das famosas areias de ouro, Portugal possui três coisas muito amoráveis: os nossos amigos, a paisagem e as criaturas simples. Os amigos são sempre pessoas maravilhosas, por toda parte. Paisagens, também se encontram belíssimas, por muitos lados. As pessoas simples, embora nem sempre com a mesma simpatia, não são, igualmente, exclusividade de Portugal. Mas tudo isso ao mesmo tempo, e em número razoável, é uma felicidade que compensa vir de Salamanca a Lisboa, sobretudo quando se cultiva a disciplina de ignorar completamente todas as demais coisas que não possam entrar na órbita do nosso perfeito amor.

Assim, pois, se, em lugar de uma xícara de chá, estivéssemos, neste momento, diante de um copo de vinho, levantaríamos um brinde aos velhos e queridos amigos, às águas, às serras, aos pinhais, aos muros de pedra, aos barcos, aos lavradores, aos pastores, a toda essa boa gente que já está dormindo a esta hora, – e aos poetas que devem andar acordados, de olhos abertos para a noite, para estas estrelas, para a sua alma, para a sua memória...

Rio de Janeiro, *Diário de Notícias*, 22 de março de 1957

O passeio inatual

Quem gosta de mim, em Lisboa, leva-me de manhã para os lados da Graça, que é o mesmo que rodar num carrossel e ver a cidade lá embaixo toda luminosa, e o sol e o vento a brincarem nas árvores que nem passarinhos.

E não só me leva à Graça, mas à Senhora do Monte, e à ermida de São Gens, onde o antiquíssimo santo pregava a doutrina aos seus discípulos. (Mas não me mande sentar na sua cadeira, porque esses santos de outrora costumavam impregnar dos mais estranhos poderes os objetos de que se utilizavam!)

Quem gosta de mim deixa-me ver o Tejo azul, e ouvir esta algaravia das crianças pelas ladeiras, e amar longamente o Castelo de São Jorge, e pensar que as coisas melhores do mundo estão sempre num plano mais alto, como sabiamente o acreditavam aqueles que outrora escolhiam para o seu culto o cimo dos montes.

Entre a Mouraria e a Alfama que outra coisa fazer senão recordar as figuras que por aqui passaram, e não somente as famosas, mas também as anônimas, personagens de um cenário hoje reduzido a estas emaranhadas ruelas, que o sol pinta de cor-de-rosa, e por onde a brisa vai movendo as roupas estendidas, a florzinha da janela, os cabelos soltos das meninas, os bigodes dos gatos...

Ah! quem gosta de mim, aqui em Lisboa, leva-me para a Feira da Ladra, onde se encontram "lunários", "breviários", "farmacopeias" e a *História do Imperador Carlos Magno e dos doze pares de França, traduzida de Castelhano em Português com mais elegância para a nossa língua, por Jeronymo Moreira de Carvalho, Médico do Partido da Universidade de Coimbra dos Exércitos da Província de Além-Teje, e Fysico da gente de guerra do Reino do Algarve.*

Quem gosta de mim deixa-mo ficar aqui sentada com *O non plus ultra do Lunário* onde há *"huma* invenção curiosa de huns apontamentos, e regras para que se saibão fazer Prognósticos, e discursos annuaes sobre a falta, ou abundância do ano e hum memorial de remédios universos para várias enfermidades".

Então, vamos aos remédios. "Para o demasiado sommo." Tomai lápis e papel, ó amigos meus que abusais do muito dormir, e escrevei: "A quem dormir demasiadamente será bom dar-lhe fumaças pelos narizes, de pennas de perdiz queimadas, ou solas de sapatos velhos, ou unhas de jumentos, ou cabelos humanos", – assim reza o *Non plus ultra do Lunário*, à página 153. E agora, para vós todos, amigos meus insones, a receita oposta: "Para quem não pode dormir, tomareis a semente das dormideiras, meimendro, alfaces e çumo de herva moura, ou leite de mulher que crie filha, ou folhas de hera terrestre, amassadas com a clara de hum ovo, e lhe fareis hum emplasto na testa, e com isso dormirá".

E para os "frenesis", aplica-se na cabeça do paciente um fígado de carneiro...; e há remédios para a "surdeza", e para as lombrigas, e para tirar a cor amarela do rosto... Remédios do ano de 1820, – não do tempo do Imperador Carlos Magno, como poderíeis pensar.

Quem gosta de mim deixa-me comprar tudo isto, e também o *Cozinheiro moderno*, que é de 1807, e onde se encontra uma série interminável de receitas deliciosas para os candidatos a gota, – razão pela qual não lhes transcrevemos senão os títulos: "Queijo de cabeça de porco"; "Lombos de porco montês por diferentes modos"; "Coelhos de molho de vilão" etc.

Em compensação, a *Farmacopeia* ensina-me a preparar "Xarope de coral", "Óleo de tartaro delequium", "Diafortico jovial", remédios feitos com víboras, chifres, crânio humano... – coisas que os nossos bisavós tomaram com muita fé, e que eram a última palavra da medicina, no seu tempo.

Quem gosta de mim deixa-me ficar pensando um pouco nesses antigos sofredores com uma ternura que certamente não sentirão por nós nem pelas nossas agonias de hoje, os nossos transcendentes e invulneráveis tataranetos...

Agora, podemos descer por esta Alfama de Arcos, onde há uma rua da Verônica e outra do Paraíso, – que estamos no mês de julho, mês em que as doenças do coração são muito perigosas, bem como dormir ao meio-dia; e "se neste mês se ouvirem os primeiros trovões, denota grandes perturbações de Reinos, comoções de povos, carestia de pão, e abundância de frutas, conforme Leopordo, no Reino em que se ouvirem".

Quem gosta de mim, em Lisboa, leva-me à tardinha para Queluz, onde me encanta mirar os espelhos d'água do jardim, e os bosques, e os azulejos; onde me praz ter saudades de Dona Maria I, tão infeliz, na sua vida, mas tão bonita na sua estátua.

Certamente, eu prefiro estas sombras, estes caminhos verdes e úmidos, por onde me parece que crianças muito antigas brincam com pôneis e bolas; prefiro estas fachadas tão femininas, com suas flores e sua pintura rosada; mas a casa de chá, instalada nesta cozinha real, não é para desprezar; e estas iguarias douradas que nos esperam devem ser delícias de amêndoas, ovos e açúcar, "sonhos em casa", "pupelinos", "bolos à Delfina", "talmussas" e "meringas" – do livro de receitas encontrado na Feira da Ladra, e há cerca de 150 anos publicado por um dos chefes da cozinha de Suas Majestades Fidelíssimas.

Quem gosta de mim contente-me pensar no Brasil de Dona Maria I, ao lançar os olhos sobre esta serena tarde de Queluz; consente-me não perder de vista os tristes inconfidentes de Minas, no século XVIII; e, de volta ao coração de Lisboa, leva-me para os lados do Carmo, porque eu desejo rever um lugar esquecido, – mas, para um braseiro emocionante. É que no ano de 1788, no seu número de 2 de fevereiro, a *Gazeta de Lisboa* publicava este "Aviso": "Precisa-se d'hum Guarda Livros com inteligência e prática de Escrituração de partidas dobradas para exercer este emprego no Estado do Brasil, sem que obste o ser casado, querendo levar sua Mulher, não tendo muita família, com tanto que se verifique a sua boa conduta. Quem quiser o dito emprego, pode falar a José Alvares Maciel, assistente defronte do Chafariz do Carmo, nas casas do Exmo. sr. Marquês de Pombal, no primeiro andar da escada, junto à de José Maria Mazza." No dia 28 de junho do ano seguinte, esse moço era preso em Vila Rica, e três anos depois deportado para Angola, – onde, aliás, foi encarregado pelo governo de levantar uma fábrica de ferro...

Quem gosta de mim compreende que este lugar me comova, porque nós todos caminhamos com muitos mortos em redor; parentes, amigos, desconhecidos. Cada um de nós tem o seu *certejo,* de que não se pode apartar.

98 ✦ Cecília Meireles

E assim vamos andando, e à noite passaremos pela porta da Academia de Ciências, onde um lampião vai murchando, vai murchando, o que nos recorda a existência – um pouco olvidada – na língua portuguesa, do verbo "bruxulear".

E assim vão soando ao longo da noite e da calçada os nossos inúmeros passos. De vez em quando voltamo-nos para trás, preocupados com o pálido lampião agonizante.

– Têm Vossas Mercês certeza de que não se trata da alma do Duque de Lafões?

Ninguém se atreve a responder. O mais inofensivo passante ganha, neste silêncio, aparência de fantasma de certo modo ameaçador. Porque, afinal, o passado é um lugar de respeito e mistério, perto do qual mesmo o nosso amor tem certo ar afrontoso. Ai de nós, que nunca saberemos nada nem do presente! – como podemos pretender o resto, apenas à mercê da nossa imaginação!

Os que gostam de mim vão perdoando esta conversa de sombrar, entre sombras, sobre sombras. (Da última vez que olhamos para trás, o candieiro procurava aguentar sua pequena chama, num desesperado esforço de sobreviver.)

Paraná, O *Estado do Paraná*, 31 de março de 1957

O miraculado

A pessoa que nos acompanhava era um jovem não apenas bem-nascido, mas igualmente bem-criado, – o que tornava a sua presença muito cativante. Entendia muito de reis e rainhas, de arquitetura e epigrafia, – de muitas coisas que aparecem de repente aos olhos dos viajantes com seus antigos enigmas. Enigmas que ele explicava deliciosamente.

Andávamos, nessa ocasião, por um lugar de muitas igrejas. Líamos ou soletrávamos as lápides fúnebres, que íamos pisando, e pensávamos no pó daquelas vidas; admirávamos tetos vertiginosos; sorríamos para os Anjos e as Virgens – e tudo se passava numa atmosfera de tal misticismo que mesmo um pedaço de vela cediça, caída por um canto, ou algum roto paramento, na úmida penumbra de alguma sacristia, possuíam auréolas mágicas, feitas daquela sua velhice, daquela sua solidão.

E havia um silêncio visível. E audível. O silêncio das igrejas vazias. Com esses passos que não são de ninguém. Com essas vozes que percorrem, só em vogais, o altar, o púlpito, o coro; – e depois emudecem. Esse suspiro das velhas madeiras que morrem, das sedas que se estão desmanchando, do contorno dourado da talha que deixa cair no chão, desfolhado, o seu suntuoso desenho.

A pessoa que nos acompanhava não via, certamente, apenas, essas coisas profanas. Antes de falar de artes e artistas, ajoelhava-se, contrito. E, ao cruzar a nave, jamais esquecia a sua genuflexão. E persignava-se e benzia-se, e tocava a água benta, e, a bem dizer, não caminhava, como nós, pecadores, mas pairava, entre colunas e sanefas, e sua voz era daquele mesmo silêncio audível, num ar forrado de cera e incenso.

Até que, a certa altura, a pessoa disse-nos, com profunda modéstia, e como a desculpar-se de sua alada presença: "Eu sou um miraculado de Fátima". E logo que foi possível contou-nos a sua singular experiência.

Pois aquele jovem, bem-nascido e bem-criado, estivera por algum tempo paralítico. E, depois de todas as tentativas de tratamento, com o melhor que possui a medicina de ciência e de arte, – pensou-se no milagre, que é o indescritível, o inefável, o que excede a arte e a ciência e deixa os homens atônitos, no meio de seu mundo lógico, tão bem construído, e muitas vezes tão precário. Pensou-se em Fátima.

Eu, a primeira vez que estive em Fátima, tive uma penosa impressão: aquela praça larga pareceu-me fria e turística. Disseram-me que era pelo número de peregrinos, e eu entendi; mas também não pude gostar da arquitetura da igreja, e fiquei triste, porque a melhor coisa da vida é poder-se amar e admirar.

Mas, de repente, mostraram-me o sítio do aparecimento da Virgem aos pastorinhos, e esse lugar parecia pobre, e tinha certo encanto. Havia algumas pessoas por ali, ajoelhadas numa beiradinha de madeira, devotamente esquecidas em suas orações. Mas o que mais me impressionou foi um homem, grave e rústico, de grandes mãos com muitos anos de trabalho, que podia ter vindo do fundo de algum campo ou do alto de alguma serra, e devia entender de uvas, de trigo, de rebanhos, e ali estava tão sofredor, de olhos fechados, pedindo humildemente uma coisa – talvez impossível? – a Nossa Senhora.

Chovera recentemente, e havia uma poça d'água justamente no lugar em que esse pobre homem se tinha ajoelhado. E de repente me pareceu que era uma poça de lágrimas ali choradas. E os seus joelhos deviam estar molhados, por muito grosso que fosse o pano aldeão da sua roupa. Mas o homem não sentia umidade nem frio nem mal nenhum deste mundo, tão longe estava no seu sonho, vivendo aquele instante total, separado da sua condição humana, livre desta nossa diária aparência, dispersiva e ilusória.

Vendo esse homem de Fátima, pensei num índio que há muitos anos deixei no México, de joelhos no chão e braços abertos, imóvel, incansável, na sombra de uma catedral meio arruinada. Senti que ambos podiam ficar viven-do assim, para sempre, pois deviam ter transposto este mundo de enganos, e andavam por sítios eternos de que se custa a voltar com alegria. Eles tinham deixado o corpo ali, exatamente como se deixam os sapatos, à porta dos templos orientais, para se penetrar no santuário. E ah! como são saudosos esses lugares do êxtase, quando se tem de regressar aos caminhos humanos!

Pois o jovem bem-nascido e bem-criado foi conduzido a Fátima, e não se podia mexer, e grande era o seu fervor, e depois de muito orar permaneceu tolhi-do, e assim o puseram de novo no seu carro, e assim voltava melancólico, e falto de esperança, mas resignado, porque era um jovem bem-nascido e bem-criado, e sabia que nem tudo que se deseja se pede, e nem tudo que se pede se ganha, e há uma grande distância entre o pretender e o merecer.

Mas as romarias de hoje ainda são como sempre, quer no Oriente quer no Ocidente: uma súbita maré de penitentes e aflitos, de aleijados e fanáticos, de místicos e vadios que invade os lugares santos, e transborda copiosamente pelos arredores, confundindo suas vagas de devoção e de turbulência.

Vinha, pois, o bom moço paralítico a rodar pela estrada, quando o carro em que viaja se detém, porque um bando de desordeiros armara por ali uma briga, e ameaçava apedrejar um triste e inerme velhinho. E o moço brada, e ameaça, preso à sua paralisia, e enche-se daquela fúria lusitana já conhecida de espanhóis e mouros: e vem-lhe o ímpeto do Bem contra o Mal, do eterno Espírito da Luz contra o Espírito da Treva, e o jovem abre a porta e sai como um Arcanjo a conter a malta revolta, e nem vê que está caminhando sobre os seus próprios pés. Os acompanhantes é que dizem: "Milagre! Milagre!" – quando ele volta, e se deixa cair exausto, sob o peso da Graça, esmagador.

Ele é, pois, um miraculado. Estes seus movimentos não são, como os nossos, um jogo banal de articulações e músculos. Não posso deixar de me sentir um pouco aturdida, tendo a meu lado uma criatura assim. Ocorre-me que talvez esta criatura não exista: que eu a tenha inventado, com estas fran-jas de poesia que descem das belas mãos dos santos, dos olhos barrocos dos anjos, destes pequenos relâmpagos que de vez em quando desabrocham na praia e no ouro das alfaias. Mas o jovem bem-nascido e bem-criado está pre-sente, solícito, discreto, a contar muitas histórias da paisagem, dos monumen-tos, de pessoas – histórias que ouço um pouco distraída, porque a sua própria excede todas as outras, e entre nós dois agora há uns abismos estrelados e sem fim. E quando me atrevo a uma pequena pergunta, sinto-a pousada como no limiar de uma porta, – e a sua resposta vem como de um campanário, de uma torre, do alto do puro céu azul.

E penso: se este moço, tão bem-nascido e bem-criado continuasse imóvel na sua cadeira certamente não fugiria à sua devoção. Aceitaria não ter sido miraculado. Não se revoltaria contra a sua desgraça: que isso são coisas de pessoa verdadeiramente bem-nascida e bem-criada. Transformaria dentro de si o sofrimento em alguma coisa aceitável, mesmo feliz.

Nem sempre e em tudo se pode ser o primeiro, o melhor: também há encanto em se ser o último, por humildade: e essa é talvez a mais deliciosa condição. Este moço podia ter continuado paralítico: não se perturbaria o tamanho de sua alma.

E aquele que eu vi em Fátima com os joelhos dentro d'água? – e o indiozinho que talvez ainda esteja no México, de braços abertos, como uma estátua, ambos a contarem aos santos as agonias do seu coração?

Como gostaria de saber que receberam o que pediram, que alguém – mais do que eles próprios – pôde ver e gritar: "Milagre! Milagre!", quando sobre eles desceu a sobrenatural mercê!

Embora, é certo, este jovem bem-nascido e bem-criado não tivesse recebido esse favor divino precisamente quando o implorou: mas quando agiu; como se, no seu caso, a caridade tivesse ainda mais força do que a própria fé.

(Mas isso são coisas além das minhas palavras, e quem tiver ouvido, que ouça quando meu companheiro miraculado está fazendo neste momento, pela última vez, o sinal da cruz.)

Rio de Janeiro, *Diário de Notícias*, 1957

Índice de Israel

Lydda: – onde se diz que São Jorge foi martirizado, e onde se encontra seu túmulo. Lydda: o aeroporto internacional onde – não há muito tempo – cheguei numa rósea manhã de sol vagamente brumoso. Lydda: de onde, em menos de duas horas de automóvel, se alcança Jerusalém, – a alta, a formosa, a divina coroa desta terra de Israel.

Ainda há pouco desci por essa estrada, de margens ora pedregosas, ora verdejantes, com muitas florezinhas amarelas, vermelhas e roxas a anunciarem a primavera entre o sol e o vento.

O aeroporto repleto. Em redor das mesas, os homens com seus copos, as mulheres com seus bolos, as crianças com seus chocolates. Estrangeiros. Visitantes. Também alguns judeus que vieram de longe, e agora tornam a partir: vieram decerto – e repetidamente devem vir, muitos outros – para verem com seus olhos esta terra de profecias, de lutas, sobre a qual a palavra de Deus continua a reboar, como um trovão eternamente vigilante.

O vasto salão do aeroporto, em obras: Israel vai festejar o seu décimo aniversário. Do mundo inteiro acorrerá gente, para as festas programadas ao longo de um ano, com diferentes solenidades em cada mês. Tudo isto estará preparado – pavimento, paredes, vitrinas – para as multidões que chegarem. E certamente muitos olhos se recrearão diante dos bordados do Iémen, dos corais e pedras de Eilat, dos objetos feitos de madeira de oliveira, essas pequenas coisas que, às portas de um país ou de uma cidade, são como o primeiro sorriso de seus habitantes.

Ainda há pouco estive em Jerusalém: apenas uma leve nuvem se desenrolava sobre o azul incomparável do céu. E o vozerio longínquo das crianças, numa escola invisível, servia de contraponto à voz do pássaro que cantava defronte à minha janela. Penso nisso com doce melancolia.

O amigo com que almocei, vi-o afastar-se pela rua sossegada, com sua pasta cheia de papéis. Tenho comigo os poemas cujas traduções me confiaram. Lea Goldberg, a poetisa, é como um retrato, na moldura da noite: com uma echarpe de lã cor de abóbora, sobre um vestido preto, e os olhos cheios de inspiração.

Revejo a aldeia dos jovens, essa grande obra de Aliat Hanoar que fui visitar, nos arredores de Jerusalém; os olhos maliciosos e experientes do presidente do Senado crivando-me de perguntas; o jovem brasileiro que, depois de me entrevistar diante de um microfone, partia pela noite adentro, na sua motocicleta...

Na sua vasta biblioteca, o ilustre professor Sholem deve estar ultimando algum trabalho; e o dr. Olswanger terá voltado de seu passeio pelos arredores, estará entrando em sua casa, uma das primeiras que se construíram naquele bairro, e pousará em cima da mesa a sua bengala, com uma inscrição que diz mais ou menos o seguinte: "Não te preocupes muito com certas coisas: deixa-as para o cavalo, que tem a cabeça grande..." (Mas o cavalo da bengala parecia mais uma gazela.)

Revejo o Museu de Arqueologia, e os amigos que me acompanharam e os curiosos objetos expostos. E o Baby Home, da WIZO (Women International Zionist Organization), com um bando de criancinhas desabando de todos os lados sobre o fecho dourado da minha carteira...

Das colinas agrestes de Safed, os meninos contemplarão a maravilhosa cidade a seus pés. Os religiosos estarão estudando mosaicos e capitéis em Tabga e Cafarnaum, – e todos parecerão apóstolos redivivos. Mas onde estará a pessoa que, sentada no monte das Beatitudes, contemplava, sozinha, o mar de Tiberíades, cinzento e opaco, sob um céu incerto?

Talvez o vento continue a estremecer a Galileia: mas não perturbará os humildes artesãos do mercado de Nazaré. Talvez o vento tenha voltado para trás, e esteja em Haifa, a subir para o Carmelo e a descer para o mar, ou esteja na Cesareia, a errar entre as estátuas decapitadas, ou se balance dentro de um barco, em São João de Acre, como os árabes deitados, envoltos em panos brancos...

E vejo-me em Tel Aviv, na movimentada Tel Aviv, com as crianças fantasiadas para o *Purim*, e os carros alegóricos a desfilarem, revivendo a história de Ester.

Recordo o teatro Habima: deve ter subido para Jerusalém. E, no quartel das moças-soldados, vejo passar a comandante, que tantas vezes ouvi citar como pessoa excepcional.

Penso na Histadrut (Confederação Geral de Trabalhadores), nas amáveis senhoras que tanto se interessavam pelas coisas do Brasil. E de repente estou numa exposição de pintura, e entre desenhos de crianças que enchem salas e salas de trabalhos verdadeiramente admiráveis.

Subo por elevadores, desço por elevadores, subo escadas, desço escadas – Israel é um trabalho incansável. Um trabalho incansável nas cidades. Um trabalho incansável nos campos. Em diferentes *kibutzim*, estou vendo a atividade de cada criatura, em obediência a uma ordem que, mais do que do Estado, é uma ordem interior, inexorável, premente.

Assim era na Universidade, nos campos arqueológicos, no deserto, nos trabalhos à beira do mar Morto.

Assim foi todos os dias, em toda parte, muito abaixo e muito acima do nível do mar, nesse estranho país mil vezes perdido e mil vezes condenado, e agora a ressuscitar de mil maneiras: em colunas, em estátuas, em povos, em pomares, em jardins, em cidades...

Quantas vezes, da minha janela de Jerusalém, senti a voz de Isaías, sempre grandiosa e atual: "Ouvi, céus, e tu, ó terra, escuta: porque o Senhor foi quem falou!..."

Depois, debruçada para a Jordânia, para os caminhos inacessíveis de Belém e do monte das Oliveiras, era Isaías que ainda escutava: "Quem deu crédito ao que nos ouviu?... ele será levado como uma ovelha ao matadouro, e, como um cordeiro diante do que o tosquia, emudecerá e não abrirá a sua boca..."

E o Jordão desliza agora longe, do tamanho de uma lágrima. E a voz do Batista percorre as areias, como a de Isaías percorre o céu de lado a lado. Entre essas vozes é que um pobre avião se levanta nos ares e meneia as asas para o voo. E às nuvens que avisto no mar, vou dizendo: "Ide para Israel! O deserto e a terra semeada esperam as chuvas, para milagres novos!"

Rio de Janeiro, *Diário de Notícias*, 6 de abril de 1958

Mapa de Israel

E eis que pisamos a terra de Israel, e pensamos nos corações que, em momento como este, repetirão num silêncio emocionante: "... a terra que o Senhor prometeu com juramento a vossos pais".

O mapa de Israel é como uma letra hebraica, com um *nun* final, comprido e delgado; é como um desses vasos antigos que terminavam em ponta e se enterravam no chão. Toda a metade inferior, precisamente a mais vasta, é o deserto do Néguev. Na boca desse vaso de areia, cálida e ruiva, há um pequeno espelho d'água densa: um pedaço do mar Morto. Daí para baixo, para o ângulo cada vez mais estreito do sul, é a região mineral das areias, do cobre, das pedras semipreciosas, que vai ter ao mar Vermelho: ponto de encontro do Egito, da Jordânia e da Arábia.

Mas do mar Morto para o norte a paisagem verde vai anunciando culturas várias; as oliveiras põem manchas de prata nos flancos das colinas, e os laranjais brilham cheios de frutas, como candelabros acesos; campos resplandecentes se estendem, como tapetes de diversos tons, e devem ser pomares, e devem ser cereais, para que se cumpra o que se encontra escrito: "Porque o Senhor Deus te há-de introduzir numa terra excelente, numa terra cheia de regatos, d'águas e de fontes: em cujos campos e montes arrebentam os abismos dos rios; numa terra fértil de trigo, de cevada e de vinhas, onde se dão figueiras e romeiras e olivais, numa terra de azeite e mel".

E nem ficou esquecida a longa faixa do deserto, porque é dela que se trata, certamente, nestas letras antigas: "... uma terra cujas pedras são ferro, e de cujos montes se tiram os metais de cobre".

A pessoa que me acompanha responde-me: "Isto é menor que o menor dos estados do Brasil..." E vamos subindo de automóvel a estrada que leva a Jerusalém. Jerusalém. E quando ouço no meu pensamento essa palavra, sinto que Israel é um país enorme, num país em que o espaço é derrotado pelo tempo, e cujo horizonte pode ir muito longe, conforme a visão de quem o contemple. Um país tão denso de história, tão carregado de sobrenatural, que seu mapa é quase um símbolo, pelas altitudes a que sobe e desce, e pela projeção que há de suas montanhas para o infinito, e de suas raízes para esses mundos que a arqueologia vai pouco a pouco revelando.

Bem sei que não vou encontrar uma Jerusalém intacta. Todos sabem como a cidade está dividida; e ainda que assim não fosse, Jerusalém não se encontraria. Jerusalém é uma cidade no espírito. Quase se poderia dizer: Jerusalém é uma cidade no céu. Não significa seu nome "visão de paz"?

Uma cidade do céu. Como nos custaria esta subida, se fôssemos de sandálias, caminhando por esta encosta pedregosa, por onde o vento balança flores pequeninas, de muitas cores! – E que carros são estes, pelas margens do caminho, pintados de um vermelho sanguíneo, e detidos nas pedras, e inutilizados? – São os carros dos que morreram em combate, os carros aqui ficaram, como um humilde monumento. – E que perfis são aqueles, ao longe? – É uma fábrica de cimento. Um cimento que até vai para o Brasil.

E a estrada vai galgando a encosta pedregosa. O céu que, pela madrugada, era tão róseo e nublado, agora se vai tornando de um azul tão puro, tão liso, tão forte, que parece também de pedra. De uma pedra extremamente fina e unida, sobre a qual o sol escreve com traços de fogo. As oliveiras contorcem-se por essas encostas que parece resvalarem sob as suas raízes a fugirem, quebradas em fragmentos de todos os tamanhos, pontiagudos, cortantes, desagregados. As oliveiras agarram-se ao ar com mãos cinzentas, curvam-se como velhinhas tortas e assustadas: e até Jerusalém é sempre assim: uma paisagem árida e poderosa, de uma grandeza que não é apenas imaginária. Vai-se como por uma escada fantástica, minuciosamente destruída, e não se pode deixar de pensar que rolam por aqui não apenas lascas das rochas, mas coisas de antes do Rei David, e coisas de todas as conquistas e lutas e recuperações, restos de múltiplas ruínas, sombra de muitos combates, de povos muito diferentes, e de um templo sempre martirizado.

Quando se chega a Jerusalém, do lado de Israel, sabe-se que é a cidade moderna que se está vendo, apenas com um ou outro monumento do passado. No entanto, pela sua arquitetura de pedra, dessa clara pedra leitosa que se amontoa em paredes e muros harmoniosamente, em quadrados regulares, a Jerusalém do presente continua a do passado, como se não houvesse decorrido tanto tempo, e os homens deste país não tivessem andado por tantos lugares, em tão fabulosas aventuras.

"O Senhor teu Deus te fará voltar do teu cativeiro, e se compadecerá de ti, e te congregará de novo, tirando-te do meio de todos os povos para onde antes te havia derramado."

E assim como se vai colocando aqui pedra sobre pedra, e vão subindo os edifícios, e o antigo e o novo se unificam numa estrutura comum, assim esta gente se aproxima, e se entende, e se põe de acordo, e mais uma vez reconstrói sua esperança.

Todas as línguas faladas no mundo se cruzam por estas ruas: mas é no hebreu que se vão unificando estas criaturas vindas de setenta países. Quem não viu os judeus em Israel não pode formar a seu respeito uma ideia muito exata. Aqui, há uma espécie de alegria ardente, o fervor que as pessoas que sempre tiveram pátria não podem talvez compreender logo: fervor dos que passaram séculos e séculos sem terem pátria sua, com a cabeça cheia de recordações, e o coração pesado de saudade. Uma nostalgia longa de cativos. E muitos martírios. É preciso pensar nessa grande amargura para sentir este júbilo evidente. É como se em cada rua, em cada casa, andasse Débora a dizer: "Eu sou, eu sou a que entoarei hinos ao Senhor Deus de Israel..." A vida parece leve e tudo tem um ritmo saudável.

O céu absolutamente puro aumenta a serenidade da paisagem. Altos pinheiros de ramagem seca. Rumor festivo de muitas crianças, em alguma escola. Um passarinho que olha para o céu, diz o seu versículo e voa. Os lugares tradicionais. Onde se diz que é o túmulo de David.

Onde se diz que dormiu a Virgem Maria, quando Jesus morreu. (Uma igreja fria, com muitos mosaicos, a imagem da Virgem adormecida, e um religioso que é como um desenho medieval.) O Cenáculo, com a sua solidão entre pequenas escadas e grossas colunas, tudo muito problemático, sob a confusão dos estilos e das lendas... – E ao longe a velha Jerusalém para lá da fronteira, com suas lembranças que vão de Belém ao monte das Oliveiras.

Do monte Sião a vista adquire um campo de liberdade onde podem passear todos os sonhos. "Vale cheio de clamor, cidade populosa, cidade triunfante..." (Oh! como a voz dos Profetas ressoa na vastidão da tarde!) "Sobre os teus muros, ó Jerusalém, pus guardas: eles se não calarão jamais, nem em todo o dia nem em toda a noite..." (Vultos ortodoxos passam pelas tardes.) E deixo meus olhos sobre as amendoeiras em flor.

Rio de Janeiro, *Diário de Notícias*, 4 de maio de 1958

Em redor de Jerusalém

Numa destas colinas de Jerusalém, mostram-me o túmulo de Teodoro Herzl, o grande nome do Sionismo, tão grato a Israel. Porque esse homem, cujo centenário de nascimento será comemorado dentro de dois anos, dedicou os últimos tempos de sua vida à obra de restaurar uma pátria, de reunir um povo, de criar uma estabilidade nacional para os judeus dispersos e perseguidos por mais de mil anos em mil lugares do mundo. Herzl não viu os horrores da última guerra, injustos e bárbaros, porque morreu no princípio do século. Mas não apenas as guerras, não apenas as perseguições raciais, nem mesmo algum caso isolado, de particular repercussão, como o "caso Dreyfus" suscitariam nos judeus da Diáspora o sonho de um reencontro na Terra Prometida. A Bíblia, a palavra de Deus, as invasões e os cativeiros prepararam no coração dos judeus um sangue de invencível saudade. Lembro-me de um poeta da Idade Média que em terras da Espanha dizia, sonhando com Jerusalém:

> O' joia, felicidade do mundo
> brotada das mãos de David!
> Na distante terra do Ocidente
> minh'alma se vai consumindo por Ti!

Não era esse mesmo Iehudá Halevi que renovava as saudades de Isaías, clamando:

> O' púrpuras de Salomão,
> como enegrecestes com o correr do tempo!

E não era já Sionismo o sentimento daquele breve poema seu:

> Rogo a Deus de braços erguidos,
> joelhado, curvado, com o rosto no pó do chão.

> Irmãos! como as pombas para o pombal,
> voo para Jerusalém.

> Ali vislumbro os aposentos de vossa vida e de vosso descanso,
> de vossa nostalgia e do desejo de vossos olhos.
> A auréola de Deus forja ali as radiosas grades da cidade que se
> levantam até o pórtico dos céus.

> E não era Sionismo, aquele grito:
> De perto e de longe, do Oriente e do Ocidente,
> de Norte a Sul te saúdam os peregrinos de todas as sendas.

Herzl está presente aqui, neste canteiro de flores ("Tu, que dormes com o coração palpitante e cuja impetuosidade é fermentada pelo fogo..."), sob um céu dourado e azul. Há trabalhadores em redor, pela terra arenosa que range com o nosso andar; e depois há muitas sepulturas brancas, com os nomes gravados de jovens recentemente mortos por amor a Israel. ("Se alguém beijar a boca de teus sonhos, saberás o que sonhastes.")

E logo abaixo deste jardim de túmulos brancos, onde o vento matinal dança abraçado às flores, é a fronteira, é o vale em que o dia deposita suas sombras azuladas e esverdeadas, e onde, paradoxalmente, a luz se concentra numa espécie de neblina que faz com que o ar pareça água e a paisagem termine como numa franja de rio. (Jogos de luz e sombra, na solidão matinal, para quem contempla o horizonte entre flores e túmulos.)

E agora vamos para En-Karém, lugar onde nasceu São João Batista.

Geralmente, quando se pensa em São João, vê-se aquele homem austero, curtido de solidões e areias, a bradar: "Raça de víboras! o machado já está encostado às raízes, e a árvore que não dá bom fruto vai ser cortada e queimada!" Vê-se aquele que dizia: "Quem tem duas túnicas, dê uma! Não molesteis ninguém! Não acuseis em falso! Contentai-vos com o vosso soldo!..." Vê-se aquele que deixou cair a água do batismo pela cabeça de Jesus, o que disse: "Eu batizo com água; mas vem Outro, mais poderoso do que eu, que batizará com fogo e o Espírito Santo, e eu não sou digno nem de desatar as correias de suas sandálias..." Vê-se aquele que foi o maior de todos os que nasceram, e que, em certo festim, teve a cabeça cortada para prêmio de duas mulheres doidas e por ordem de um complacente tetrarca.

Mas aqui é o lugar do nascimento do santo. É preciso pensar naquele menino que todos aprendemos a amar, abraçado a seu carneirinho, quando ainda era como um pequeno pastor, por estas montanhas da Judeia, as montanhas que conheceram Isabel e Zacarias, e viram Maria de Nazaré chegar para visitar sua prima, e sentiram o menino estremecer antes de ter nascido só com a aproximação do invisível Jesus.

Pois se aqui nasceu São João, por aqui andou o anjo Gabriel, que o anunciou, que lhe deu o nome, que fez ao velho pai atônito a profecia do precursor que vinha para conduzir os rebeldes aos caminhos da sabedoria...

E o que temos diante de nós é uma pequena igreja, – no fundo de uma ladeira árabe, com portas pintadas de azul por aqui e por ali, soleiras de pedra, crianças pobres que miram com enormes olhos negros e mansos, como se fossem as antigas companheiras daquele menino...

E o que temos diante de nós, depois, é uma gruta, com uma parte de sua pedra negra à mostra, e, num recesso, um altar, com uma espécie de baldaquino, e que faz pensar num berço – como se não fosse um anacronismo pensar num berço assim para o menino filho de Zacarias e Isabel...

E o que temos diante de nós, a explicar essas coisas, é um fradezinho mexicano, de óculos de arame na ponta do nariz, um fradezinho índio, escuro e franzino, da mesma natureza mitológica daquele que, na igreja da Dormição, contava a história das grossas colunas de pedra que tinham voado e desaparecido...

Doce alegria do sonho! A família de São João – conta-nos o religioso – tinha duas casas: uma de verão, uma de inverno. Uma lá em cima (lá em cima é na colina fronteira, onde há outra igreja), e esta aqui embaixo. E São João nasceu aqui.

São João! Todas as fogueiras acesas, iluminando seu nome! Fogos de artifício subindo aos céus para festejá-lo! As águas encantadas, cheias de virtudes,

Crônicas de viagem 3 ✦ 113

porque suas mãos com água batizavam! Todos os animais falando, na sua noite! O futuro revelado nas mil sortes dessa hora mágica! A encarnação da luz subindo aqui do Jordão e do deserto, e enchendo o abismo da treva, em redor do mundo!

– Quem és tu? Que dizes de ti?

– Sou a voz do que grita do deserto: preparai o caminho do Senhor!

E como nestes lugares, ricos de séculos superpostos, há tantos despojos acumulados, deixamos a pequena gruta, e agora, grandes e pequenos, abertos na pedra, são túmulos e túmulos de mártires, o que está diante de nós.

Rio de Janeiro, *Diário de Notícias*, 11 de maio de 1958

Vozes de Jerusalém

Lentamente subíamos a pedregosa encosta do monte Sião, para o túmulo de David; para o Cenáculo do Cristo; para a igreja da Dormição, da Virgem. Parávamos às vezes, para contemplar o vale, em redor, para pensar na velha Jerusalém, tão perto e tão longe, para ouvir essas mil vozes do passado que se entrelaçam aqui, cantando o Antigo e o Novo Testamento. E uma delas diz claramente: "... Jesus Cristo, filho de David, filho de Abrahão..."

Sobe na nossa frente um judeu devoto, com seu solidéu bordado, mas com roupas ocidentais. Este é um caminho de santidade: e se David não foi Deus, foi o seu amigo mais próximo, aquele por quem Iavé salvou Israel tantas vezes, e outras tantas vezes poderá tornar a salvar. Foi um justo, para quem cada guerra se apresentava como um problema de alma; foi um rei, que se esforçou por estabelecer a união de seu povo e a união desse povo com Deus; foi um músico, que espantava com a sua harpa os maus espíritos de Saul; foi um poeta, que chorou Jônatas com aquele cântico de dolorido amor, e, quando quis chorar seu revoltoso filho, não encontrou senão aquelas pobres palavras:

Meu filho Absalão!
Meu filho, meu filho Absalão!

Quem me dera ter sido morto em teu lugar!
Absalão, meu filho, meu filho!

E há um altar, com seu panejamento, e umas coroas, que devem ser de prata, e devem ser oferendas, e há velas que se acendem e se colocam num suporte, como se faz entre os católicos. E é belo imaginar o jovem pastor de cabelo ruivo, muito longe, muito longe, entre as suas ovelhas, com a mão de Deus apontando para a sua cabeça. "Iavé é justo, ama o que é justo: seu olhar contempla os corações retos." É belo pensar que sob estes céus passou, um dia, a voz de David.

O Deus dos deuses, o Senhor falou
e convocou a terra, desde o oriente do sol até o seu ocaso.
De Sião é que vem o resplendor de sua formosura.

E de repente estamos no Cenáculo, numa sala desnuda, com grossas colunas (de quando?) com duas breves escadas (de quando? de quem?) e as paredes também repetem uma pergunta: "Onde queres tu que te preparemos o que se há de comer na Páscoa?"

Tudo está cheio de vozes, por estes sítios, e essas vozes só dizem coisas maravilhosas. O religioso, velhinho e encolhido, que desliza entre os mármores e os altares da igreja da Dormição, conta, emocionado e convicto, a história de umas colunas que ali estavam, e foram arrebatadas e desapareceram. (Ele mesmo, que está falando, existirá? E que é isso de existir, nestes lugares de Jerusalém?)

De outro lado, uma voz sem boca está dizendo: "Dai voltas a Sião, considerai-a em redor; contai as torres dela... – fazei resenha das suas casas..." Oh! quem me dera dar essas voltas, fazer a resenha dessas casas, e encontrar uma janela, e na janela um rosto, e no rosto uma risada da mulher que se chamou Micol! Porque então veria passar o rei David dançando diante da arca, girando e dando voltas, entusiasmado e delirante a serviço de Iavé.

Cantarei para Deus toda a minha vida,
Toda a minha vida tocarei música para Deus.

Mas de dar voltas e girar e procurar torres, avistamos ao longe a antiga Universidade, que nesta divisão de terras ficou do outro lado da fronteira; e ali jaz, repleta de livros: uma biblioteca imensa e preciosa, que ninguém pode consultar, pois somente lá chegam os soldados que a guardam, e os que periodicamente os abastecem com mantimentos, enquanto perdurar essa curiosa situação.

Mas há flautas que tocam, e a mula de David vem trazendo Salomão, e o velho rei dá-lhe seus conselhos, deita-se para dormir com seus antepassados, e deixa seu filho sentado no trono que ali ocupara 33 anos... E Salomão começa a reinar com o maior esplendor.

– Mas por que há tantas pedras, no chão de Jerusalém? (Esperava que me respondessem com explicações mineralógicas sobre a natureza do solo e as causas da erosão...) Disseram-me: – Porque sempre que um judeu chega a Jerusalém tira do coração uma pedra. (É assim, esta terra: feita de desobediência e de arrependimentos, de erros e de perdões, – mas sobretudo de esperanças. Um dia os homens serão perfeitos? Um dia os homens todos se entenderão?)

O sol desaparece no horizonte encarnado e amarelo – mas o resto do céu conserva sua claridade azul, suave e intacta. Como caminhar por estes lugares sem ouvir suas mil vozes, tão vivas e oportunas? "Desde a vigília da manhã até a noite, espere Israel no Senhor."

No Meah Shearim, habitado por uma casta de ortodoxos que não permite piscinas comuns aos dois sexos, que não admite qualquer infração no descanso do sábado, e onde os homens são como os judeus de Rembrandt, – o pão, a carne, as frutas estão como nos velhos tempos: expondo as dádivas de Deus e o trabalho da terra. Creio que se encontram aqui as tortas de farinha e passas, e os bolos assados no borralho que são descritos na Bíblia. Aqui, as mulheres trabalham, vestidas de cores inesquecíveis – roxo, verde, púrpura... – os homens meditam, – turbantes, gorros, pensamentos inclinados uns para os outros, discutindo que versículo? que palavra? que letra? – e as criancinhas correm pelas ruelas como pequenos anjos em liberdade, e desaparecem na sombra que se vai acumulando. Por estes lugares há uma velha prensa para azeitonas, que alguém me quer mostrar e não consigo ver. Mas quem pode ver tudo que aqui se encontra e não se encontra? Quem tem olhos bastantes ágeis e claros para percorrer o passado e o presente neste pedacinho de Jerusalém? Palácio, templo, casas, muralhas, ruas, carros, soldados, harpas, tanque de bronze, querubins, ouro e cedro, onde estais? "Tudo que era a nossa delícia tornou-se em ruína..."

Mas no dia seguinte vi a Universidade Hebraica, ainda em construção. Visitei alguns dos edifícios prontos. Contemplei o vasto *campus*, revirado pelas máquinas, com as fundações de novos edifícios abertas na terra áspera. Penetrei nesse recinto onde estão expostos os famosos rolos do mar Morto, sobre os quais tanto se tem escrito. Vi as jarras da caverna de Qumran, onde estavam guardados esses rolos. Vi abertos e estendidos esses antigos escritos, em tão bela caligrafia, em linhas tão bem pautadas, em colunas tão bem divididas, – e uma grande ternura se apoderou de meu coração. Mais uma vez aqui se entrelaçavam o passado e o futuro, porque sobre estes documentos também se inclinam os sábios de hoje, e sobre outros mais se inclinarão os de amanhã. "Por Jerusalém sereis consolados."

No pátio da Universidade, um maravilhoso mosaico, trazido de uma dessas numerosas escavações a que se procede por todo o país, continuava a trazer o passado para junto de nós, e a preparar a ressurreição de Israel.

Rio de Janeiro, *Diário de Notícias*, 18 de maio de 1958

Aldeia das uvas

Todos me tinham falado nos *kibutzim*, muito tempo antes que eu pensasse em visitar Israel. Eram colônias coletivistas, onde a propriedade individual não existia: todos trabalhavam, e recebiam em troca alimento, habitação, vestuário, cultura, assistência social. Ninguém tocava, individualmente, no dinheiro, que pertencia à comunidade. O trabalho era agrícola, embora, em alguns casos, pudesse haver alguma iniciativa industrial...

Tudo isso é fácil de ouvir, quando se está conversando displicentemente. Mas, em mim, essa descrição, tão simples e natural, despertava um mundo de perguntas: por que se forma um *kibutz?* como? para quê? onde? quando? e todos se entendem? e a vida é feliz para todos? e é uma experiência de sentido místico? é alguma coisa como a comunidade dos essênios, outrora, nos arredores do mar Morto? e a divisão do trabalho é aceita por todos? e todos têm vocação agrícola? e se não tiverem? e se uma pessoa deixa um *kibutz*, como se torna a integrar na sociedade? e isso não é um impulso que possa ser acompanhado de decepção? e os que têm uma vocação que não seja a agrícola, e uma ideologia conforme a do *kibutz*, como se podem acomodar nesse dualismo? e como vivem as crianças separadas dos pais? e que vantagens há em fundar um *kibutz*, em lugar de se viver incorporado indistintamente ao resto do povo...? e não é monótono esse convívio assim fechado...? e os problemas sentimentais? e as competições...? – Uma grande confusão se fazia no meu espírito, porque, ao lado dessa desistência de propriedade material, dessa vida em comum, dessa obediência a um plano de trabalho, quase sempre me afirmavam que não havia nenhuma experiência espiritual, na organização de um *kibutz*: que se tratava apenas de um plano de trabalho, de uma experiência econômica. E isso me parecia muito rural, mas pouco bucólico, e certamente prático, mas um pouco frio: lúcido e racional, mas sem paixão. Ora, o povo da Bíblia é um povo apaixonado. Apaixonado por Deus. Ninguém teve jamais paixão tão alta, fervorosa e contraditória, revoltada e arrependida, mas sempre exaltada e emocionante. E isso era o que no meu espírito se opunha fortemente à compreensão do *kibutz*, tal como o ouvia descrito.

E fomos almoçar em Kiryat Anavim, que quer dizer "aldeia das uvas". Um nome desses acorda imediatamente os dias da criação do mundo: pois não foi Noé o primeiro que cultivou a vinha, e não foi também, com certeza, o primeiro homem que se deliciou (com algum excesso) na degustação do sumo das suas uvas? E que coisa é melhor que o vinho, a não ser o amor, segundo as recordações bíblicas? "Teu amor é melhor que o vinho..." "a vinha em flor desabrochou seu perfume..." "– ... pela manhã iremos passear nos vinhedos..." "Salomão tinha uma vinha em Baal-Hamon..."

Este *kibutz* fica num terreno muito ondulado, e penso nos "rebanhos de cabras que sobem pelas encostas de Galaad..." O refeitório é vasto, simples, como num convento, com mesas em que se podem sentar oito pessoas. O almoço é também simples, com sopa de legumes e uma espécie de almôndegas – comida que se encontra sempre em Israel. Interessa-me mais ouvir o que me estão contando: como o *kibutz* funciona, os trabalhos de avicultura, as colheitas, o gabinete dentário, a policlínica... Lá fora, meninas e meninos – quase adolescentes – andam pelos galinheiros, cuidando de rações, entretêm-se com os serviços da terra.

Depois, vejo a habitação da pessoa que nos recebe: seus livros, seu ambiente, simples mas agradável, e a paisagem da terra sossegada, em redor.

Um pouco mais acima, noutro plano do terreno, encontra-se uma espécie de casa de repouso ou hotel de veraneio, que em breve se abrirá para os hóspedes: na estação própria. A vista é lindíssima: pelas encostas vão sendo construídas outras dependências do *kibutz*: e deve haver vinhedos por aqui, mas talvez não se mostrem virentes, nesta época, ou são estes meus pobres olhos que, tontos de luz, da luz deste céu inesquecível, não os encontram, retorcidos por estes barrancos..." "... desci ao jardim das nogueiras, para ver se a vinha desabrochava, para ver se as romãzeiras têm flor..."

E deve ser tarde: chegamos muito atrasados para o almoço; apenas algum retardatário andava pelo refeitório, com o trabalho do campo evidente no rosto luminoso e nas mãos rústicas. – Quanto aos demais, deviam todos estar nos diferentes pontos de serviço, responsáveis pelos múltiplos setores de uma organização que precisa de cada um para a harmonia geral.

Para se entender e apreciar o *kibutz*, é preciso conhecer bem a situação de Israel. Trata-se de criar uma pátria. Será coisa fácil? Quando se anunciou que havia uma terra para acolher este povo disperso, os imigrantes que chegavam não tinham ideia clara do que encontrariam. E viram estas montanhas pedregosas, e areias, areias, areias... Era preciso trabalhar este chão áspero e seco. Era preciso tratar com carinho as velhas raízes por cerca de 2 mil anos enterradas por estes campos amargos, escondidas em sucessivas ruínas. Era preciso voltar ao princípio... E Deus não disse: "o solo fica amaldiçoado por tua causa! Só com penoso trabalho dele arrancarás o que comer, por toda a vida. Comerás teu pão com o suor de teu rosto, até voltares à terra de onde saíste, porque és pó, e ao pó regressarás..."? Mas os *kibutzim* não datam apenas destes últimos dez anos: os imigrantes recentes já encontraram experiências análogas, muito antigas, de velhos pioneiros. E experiências felizes, com bons resultados.

De volta, passamos por essa aldeia árabe de Abu-Gosh que de longe parece um desenho de quadradinhos amarelos superpostos; e visitamos uma igreja do tempo dos cruzados – túmulos, ressonâncias, colunas, coisas que o guia – cristão árabe – explica com muita compenetração e paciência, até que, na despedida, aparecem no alto de uma varandinha pessoas de sua família, e então abre-se nesses ares distantes uma conversa sobre o Brasil, sobre São Paulo, porque o Brasil aqui neste cantinho, perto destes túmulos de cruzados, à sombra desta igreja com as recordações antiquíssimas do século XII, é um país familiar, para onde se vai, de onde se vem, e quando eu chegar à minha terra, nela me terão precedido estes bons árabes de Abu-Gosh, amigos de Israel, entre os quais, segundo uma história que me contaram, "a palavra de um *sheik* é ainda a palavra de um *sheik*"...

Deus meu! como há no mundo gente para se amar! Pois não aparecem agora crianças, – não estas crianças que encontramos nas cidades ocidentais,

quase sempre desfiguradas na sua pureza pelos mil desvarios do ambiente, –
mas crianças do Oriente, com seus olhos tímidos, cheios de sonho, crianças de
aldeias antigas, que ainda se enamoram de uma anêmona entre as pedras...

Mas o automóvel parte. Um automóvel parte de uma aldeia árabe, em
direção a Jerusalém. Todos os contrastes do mundo e dos tempos se reúnem
assim na terra milenar, que renasce depois de tantos séculos, em condições tão
semelhantes e tão diferentes. (Vou pensar com carinho em Kiryat Anavim. Vou
ver outro *kibutz* mais de perto. Preciso de respostas para as minhas perguntas.)

"As pastagens do deserto se orvalham; as colinas se adornam de alegria;
os prados se enchem de rebanhos; os vales se cobrem de trigo; há gritos e can-
tos..." – que anjo vem atrás de nós, procurando traduzir em salmo o trabalho
dos *kibutzim*?

Rio de Janeiro, *Diário de Notícias*, 15 de junho de 1958

A inesquecível Asquelon

Quando David soube da morte de Saul e Jônatas, depois de rasgar suas roupas, conforme o rito do luto, e de fazer tombar o sangue sobre a cabeça do mensageiro, mandando-o executar imediatamente, entoou um salmo de lamentação que ordenou fosse ensinado aos filhos de Judá. E é nesse poema que se canta:

> Não o anuncieis em Gat,
> não leveis a boa nova pelas ruas de Asquelon,
> para que não se alegrem as filhas dos Filisteus,
> para que não exultem as filhas dos incircuncisos...

Agora, ao descermos por esta estrada que vem de Jerusalém em direção ao mar, depois das oliveiras cinzentas, que se agarram às encostas, dos pinheiros que apontam para o azul fortíssimo do céu, das mil flores que entre as pedras oscilam, coloridas e transparentes, é para Asquelon que nos dirigimos, – com uma volta por lugares vizinhos, onde se desenvolve uma operação de colônias agrícolas, sabiamente planejada.

Em Asquelon, velho sítio dos Filisteus, por onde Saul andou com Jônatas em grandes proezas, a riqueza arqueológica é impressionante. Essa riqueza já se anunciava, pelo caminho, quando ainda nas montanhas da Judeia paramos no *kibutz* Beit Govrin. Um jovem "kibutziano" que se ocupa das escavações veio mostrar-nos uma importante construção ressuscitada das areias: pavimento de mosaicos quase intacto; a casa de banhos, com as margens decoradas por uma cena de caçada, com animais ferozes perseguindo suas vítimas; representações, em mosaico, das quatro estações do ano e, pelas paredes, pinturas de vasos bizantinos de onde saem parreiras, com pássaros e pavões pousados.

Tudo isso no silêncio do lugar deserto, onde apenas o sol e o vento andam pelas areias pardacentas já principiava a criar um ambiente de sonho, um caminho para fora do presente, sob sugestões romanas e bizantinas. Mas um pouco mais longe estava Asquelon. E Asquelon era a porta de um mundo inesquecível, ao mesmo tempo morto e vivo, dentro do qual se começava a existir de maneira diferente.

Tínhamos almoçado qualquer coisa, caminháramos um pouco por lugares novos, limpos e práticos: construções para a atualidade de Israel. Mas o inatual estava ali perto, e surgiu aos nossos olhos de repente, como se forma na noite um sonho, dentro das pálpebras.

"Sim, Gaza ficará reduzida a deserto, e Asquelon a solitude..." Do centro da profecia, entre caminhos ásperos, de areia grossa e hirsutas plantas, sobe um longo muro de pedra que contorna um amplo recinto descoberto: em três meses apenas se preparou este lugar para um museu de arqueologia. E as peças estão ali, diante de nossos olhos, limpas e claras, na sua ressurreição, como todos nós amaríamos sair algum dia dos nossos túmulos. São alvas colunas enormes, com os seus capitéis lavrados de acanto; são Vitórias abrindo outra vez ao sol as asas que por longo tempo estiveram soterradas; são imagens maternais, são Atlantes, são pedras que o olhar experimentado vai classificando: degrau, soleira, muro...

Estas escavações não começaram agora: mas o interesse atual pela arqueologia, em Israel, e as celebrações do décimo aniversário de sua independência estimulam estes trabalhos, altamente recompensados por descobertas que entusiasmam e fascinam. Às vezes, o trator desliza, abrindo uma estrada, e de repente sente-se que arranha qualquer coisa diferente: vai-se ver, é uma coluna que aflora, como estas que aqui estão, com seus capitéis clássicos e cruzes gravadas nos fustes... Quem me fala é um homem extremamente interessado no seu trabalho, cheio da peculiar simpatia que irradiam os que trabalham com amor. Fala-me dos seus ajudantes, – alguns recentemente chegados a Israel – deslumbrados com o que encontram, ao remexerem estes campos que Saul e

Jônatas subjugaram, e por onde a sombra de Herodes, o Grande, se projeta, e que talvez tenha sido a sua terra natal. Quem me fala é um homem tão sensível a estas coisas que se vão levantando nos seus antigos lugares, tão ansioso pelo que possa estar aqui, debaixo dos nossos pés, entre as raízes destes sicômoros e tamariscos que é com um sentimento religioso que o ouço dizer: "Às vezes, passo a noite em claro, não consigo dormir... Minha mulher pergunta-me: 'Que tens? por que não dormes? em que estás pensando?' E eu estou pensando numa estátua... Numa estátua que pode aparecer..."

E além das estátuas e das colunas, e do palácio de Herodes que se vai reconstituindo em suas fundações, há muitas prensas de azeitonas, grandes, redondas, de basalto negro.

Começa a entardecer; os trabalhadores vão-se reunindo; e há sombra e silêncio em redor dos enormes, velhíssimos sicômoros, de grossos troncos tortuosos.

Depois, entramos num túmulo romano, onde Deméter presta atenção à música que Pã está tocando em sua frauta, à beira de um rio meio desaparecido, mas de onde assomam ainda peixes, cegonhas, papiros...

Tudo é assim, neste lugar, com muitas memórias entrelaçadas, como esta vinha que sobrevive, pintada, à extinta mão que a pintou: fatos bíblicos, episódios greco-romanos... E logo adiante uma igreja bizantina delineada no chão, adivinhando em seus alicerces por este gesto que vai indicando extensões, limites, pormenores... O que há de verdadeiramente positivo são dois túmulos, diante dos quais paramos reverentemente. Oh! estes dois túmulos assim ao ar livre, num chão tão denso de memórias, com estas vastidões para cada lado, – e longe, para cima, é Jerusalém, e para baixo, o Mediterrâneo.

A pessoa que me fala é tão sensível às coisas da vida e da morte que vai dizendo, quando nos afastamos: "Quando eu vejo que alguém está guardado nestes velhos túmulos, não lhes toco..." – E a tarde se enche de uma paz infinita, à sombra dessas palavras.

Mas há sarcófagos vazios. Há sarcófagos que não chegaram a ser habitados. Aqui mesmo à beira da estrada encontramos um, virado para baixo, com seus ornatos de cabeças de touro e grinaldas de rosas, e em branco o lugar onde devia ser gravado o nome de seu proprietário. Sobre o sarcófago brincam quatro meninas. (Aqui as crianças também fazem arqueologia, e voltam à tarde muito contentes com pequenas coisas que encontram pelo chão.) Mas as quatro meninas ainda são muito pequenas para essas aventuras. Contentam-se em olhar para a tarde e os passantes, tão rosadas e de olhos tão negros que parecem quatro anêmonas num vaso. E Miriam, que é talvez a mais linda das quatro, é justamente a que procura esconder o rosto no braço dobrado por cima do sarcófago.

E esta foi a última visão de Asquelon: as crianças!

Rio de Janeiro, *Diário de Notícias*, 29 de junho de 1958

Um santo

Para quem se acenderam estas fogueiras e subiram estes foguetes e estes balões? Para quem brilharam estes fogos de artifício, e a quem se dirigiram os pensamentos dos que ainda querem saber da sua sorte, nessa noite de junho, para uns a mais curta e para outros a mais longa do ano? Seria tudo isso para o santo degolado no banquete de aniversário de Herodes? O austero santo que se revoltava contra incestuosos amores? o solitário das areias jordânicas, escrevendo com a voz no deserto? o que batizava com água antes que chegasse o dia de se batizar com fogo o Espírito Santo?

Ou seriam as festas da noite mágica, da noite em que as plantas têm virtudes e os animais falam, para o meninozinho que nasceu numa gruta, nos arredores de Jerusalém?

A gruta é no lugar chamado Ein Kerem, e agora está dentro de uma igreja dedicada a São João Batista. Chega-se lá descendo uma ladeirinha pobre, com soleiras de pedra, casas baixas, pequenas lojas que se parecem com todas as pequenas lojas das vilas e aldeias do Ocidente e do Oriente. Bonitas meninas morenas aparecem pelas portas, mas só pela metade, virando grandes olhos escuros para verem quem passa. Seria este o mesmo caminho de outrora, por onde São Joãozinho também andava?

No horizonte fronteiro, lá pelo alto das colinas, há uma igreja da Visitação, na outra casa habitada por Santa Isabel, e onde a Virgem Maria, sua prima, a foi visitar: "Maria foi com pressa às montanhas, a uma cidade de Judá". Como, porém, São Joãozinho nasceu cá embaixo, estou vendo Isabel e Zacarias descerem por esta encosta, e pararem neste lugar, onde havia uma casa, com esta gruta. E Zacarias estava mudo, porque não tinha acreditado no que lhe anunciara o anjo...

E São Joãozinho nasceu, e todos pensavam que seu nome ia ser Zacarias, como o do pai, mas Santa Isabel dizia: "– De modo algum! Ele se chamará João." E os outros contestavam: "– Por que João? Não há ninguém na família que se chame assim!" E Zacarias, ainda mudo, escrevia numa tabuinha: "João é o seu nome". (Na verdade, ele escrevia "Iohanan" – o que tem a graça de Deus.) E logo a mudez de Zacarias passou.

E São Joãozinho devia ser moreno, como estas crianças que se veem por aqui, de cabelos negros, – e é possível que brincasse com um carneirinho e corresse descalço por estas ladeiras, onde há papoulas e anêmonas muito fininhas por entre as pedras.

Depois, São Joãozinho foi crescendo e, como o anjo Gabriel anunciara, teve de ser o profeta do Altíssimo. E foi para as solidões do deserto, aprender as coisas do céu e da terra.

Para São João, homem grave e áspero, instruído na lei do Espírito, estas luminárias festivas seriam apenas o símbolo do grande Fogo que ilumina e queima, que abrasa e purifica.

Mas para São Joãozinho! Para o menino destas ladeiras de Ein Kerem! Para a criança nascida nesta gruta! – que brinquedos, estes, de estrelas que nascem em ramos, em cachos! De rodinhas que giram com mil chispas amarelas e vermelhas, como pequenos sóis! que labaredas no negrume da noite! que alegria de tantos céus ao alcance de todas as mãos!

Rio de Janeiro, *A Cigarra*, 1º de julho de 1958

Pausa antes do deserto

Toda a metade meridional de Israel é o Neguev. E o Neguev é o deserto. A oeste, uma linha oblíqua descendo de Gaza ao Sinai: é a fronteira com o Egito; a leste, a fronteira com a Jordânia. O deserto vai terminar em vértice no golfo de Aqaba, no fundo do mar Vermelho.

Para quem chega do Norte, a entrada do deserto é a cidade de Beer-Sheva, capital do Neguev e uma das mais antigas páginas bíblicas. Seu nome significa "Sete Poços", e está relacionado com a história de Abraão e de Isaac. Alguns explicam que esse nome também se poderia traduzir por "poço sete vezes cavado", pois Abraão cavou três vezes, à procura da água, nesse lugar; e Isaac fez, no mesmo sentido, quatro tentativas. Essa água, tão procurada, era a que, nos tempos messiânicos, abastecia Jerusalém e seus arredores.

Abraão morou muitos anos em Beer-Sheva, onde trabalhou para divulgar a Lei de Deus. Conta-se que aí plantou um bosque, com quatro entradas, cada uma delas voltada para um lado da terra. Plantou também uma vinha. E os viajantes que penetravam no bosque pela entrada que encontravam na sua frente nele descansavam, comiam e dormiam antes de seguirem seu caminho, fosse qual fosse.

Ora, a Casa Hias, que hoje, em Beer-Sheva, oferece aos viajantes o mais primoroso acolhimento, é sem dúvida a versão moderna do remoto e hospitaleiro bosque de Abraão. Pertence ela a um serviço de assistência internacional aos imigrantes judeus, serviço que inclui a construção de alojamentos para atender a determinados casos. No Neguev, esta Hias House destina-se, em princípio, aos técnicos e especialistas que vêm tratar de assuntos relacionados com os empreendimentos mineralógicos e agrícolas da região. Os mineralógicos referem-se à extração de várias riquezas do deserto, como os sais do mar Morto, o cobre das minas de Salomão, no Eilat etc.; os agrícolas, às tentativas de ressurgimento vegetal nessas extensões de areia, onde um esforço nesse sentido poderia parecer, à primeira vista, desesperante e vão.

Mas a Hias House também abriga uma ou outra pessoa que vai para o deserto visitar esses empreendimentos de tanta significação na vida econômica de Israel. Ampla, moderna, clara, ela é uma alegria inesperada para os olhos. Seus grandes salões, seus móveis confortáveis fazem esquecer todos os cansaços; há uma serena harmonia no ambiente, com espaços de silêncio e de solidão para cada viajante que chega.

Em redor da mesa de chá, pode-se encontrar muita gente simpática, da terra ou de fora; mas o que não se poderia esperar, na verdade, era o súbito aparecimento de um bando de jovens do Brasil, – ao todo umas trinta pessoas, contando com alguns argentinos – moços e moças que andam numa excursão de sete meses por Israel. Irrompem alegremente pela sala, vestidos esportivamente, com malhas e capotes coloridos: têm olhos repletos de espetáculos – paisagens, ruínas, edificações, o passado, o presente e o futuro – e assim como aparecem desaparecem, com uma breve notícia do que viram, do que vão ver... – e já estão longe como trepidantes pássaros multicores.

À noite, depois do jantar, dá-se uma volta pela cidade. Casas baixas, fechadas, como em certas cidades do interior do Brasil. Ruas arenosas, porque o deserto anda em redor, como um animal fabuloso, e seu sopro rasteja por estas calçadas. Em alguma esquina, um velhote que vende coisas de comer, uma espécie de balcão ao ar livre. A mercadoria, protegida por um plástico transparente; a luz da cidade, muito fraca; o velhote já um tanto sonolento; sons de música árabe, numa vitrola invisível; as ruas vazias, nossos passos batendo... – pouco a pouco tudo se vai transfigurando e é como se este passeio fosse puro sonambulismo.

Ouço dizer a meu lado que, se tivéssemos chegado cedo, hoje, que é sexta-feira, teríamos visto o mercado árabe de Beer-Sheva. E vamos andando, com largos silêncios, para um café. (Isto podia ser em Teresópolis, à meia-noite, ou em Campinas, ou em Ouro Preto... Pelo menos, são os lugares que me ocorrem quando me sento a uma pequena mesa, com os companheiros também já um pouco fora da realidade...)

O homem do café é extremamente amável. Extremamente ativo. Tão ativo e amável que ainda parece mais que se está sonhando. Limpa a mesa, com um pano. Limpa a mesa que está limpa, e continua limpando. Limpa, limpa, – é um sonho de limpar mesas que estamos sonhando na noite de Beer-Sheva. E enquanto o pano vai e vem, ele responde em hebraico sobre o que se pode tomar, no seu café. Muitas coisas: café expresso, café *turqui*, sanduíches, bolos... E continua a limpar a mesa. Água mineral, *gazoz* laranjada... – Pelas outras mesas há pessoas que sonham outras coisas: sonham que leem revistas, sonham que resolvem palavras cruzadas; sonham que comem, que conversam... E muito longe, no horizonte do sonho, sobe e desce, como tímida espuma inquieta, aquele som de música árabe.

E a noite é fria, com uma espécie de garoa que empana mais a iluminação já tênue; e o velhote da esquina continua a esperar um freguês que, nestes sítios de Abraão, deve ser um anjo fatigado que comerá uns dois ou três pastéis, antes de ir levar algum recado para o deserto... Seus belos olhos contemplarão estes bolos e doces que jazem, por detrás da tela transparente, como objetos enigmáticos no fundo de um aquário. (De onde virão esses noturnos compradores que o velhote da esquina continua a esperar pacientemente?)

A lua, quase cheia, tem em redor um halo não de luz, mas de escuridão. Vasta auréola do céu profundo, depois do qual a noite celeste retoma a sua configuração, com estrelas que – ai de mim! – não consigo identificar. E vamos andando e encontramos vitrinas iluminadas, – tão tarde! – vitrinas de lojas pequeninas, repletas de fantasias para a festa do *Purim*, que é como um carnaval, mas só para as crianças: talagarças, tarlatanas, babados, saiotes, enfeites para a cabeça – fitas douradas, lantejoulas, cequins... Passada a vitrina, a rua torna à sua obscuridade.

Um grande sossego. Um silêncio que a alma abraça com alegria. Uma felicidade de solidão, com a noite de sexta-feira reclinada no céu. Porque, desde a terceira estrela, é *Shabat* – descanso geral. "Trabalharás seis dias e farás toda a tua tarefa, mas o sétimo dia é o *Shabat*, para Iahvé teu Deus. Não farás trabalho nenhum, nem teu filho, nem tua filha, nem teu servo, nem tua serva, nem teu boi, nem teu jumento, nem o forasteiro que vive dentro de tuas portas..."

Forasteira dentro das portas de Beer-Sheva, volto para a Hias House, de corredores brancos, de escadarias brancas, de silêncios brancos. A janela dá para uma noite pequena, particular, dessas que se cultivam num pátio, num jardinzinho, num pequeno quintal, que sobe como uma planta de aveludada folhagem negra, densa e imóvel, que sobe e se abre lá em cima, numa única flor luminosa, numa grande magnólia que o vento das horas vai levando.

Rio de Janeiro, *Diário de Notícias*, 13 de julho de 1958

Para Eilat!

Pelo deserto, horas e horas, pelo deserto indeterminado, descemos para Eilat. E o deserto é uma lição maravilhosa. Todos nós somos penitentes, nesta vastidão amarelada, só de areias sucessivas, que ora sobem, em montes altos, ora descem em longas vertentes, e que nunca serão vistas exatamente do mesmo modo, porque o vento que sopra muda este chão como faz às nuvens do céu. Em dado momento, chega-se tão alto que até se sente frio. Depois, vai-se descendo até o fim de Israel, lá no vértice do país, lá na beira do mar.

Para o Sul, para o Sul,
para o Sul, para Eilat.

Agora para. Aqui chegamos
Desce, deita-te neste chão.
E pensa na palavra escrita:
Jurei que te havia de dar
Esta terra, toda esta terra,
De Dan ao Vermelho do Mar.

São versos do poeta Heffer. Versos que podem ser misturados às canções que vamos ouvindo pelo rádio do automóvel, e que têm palavras do *Cântico dos cânticos*. O "Vermelho do mar" é o mar Vermelho. Mas está na nossa frente – e é azul. O chão do deserto funde-se com o chão da praia: tudo é areia, mais grossa ou mais fina, saibro, cascalho, pedregulho. Aqui e ali construções que se levantam da solidão: uma cidade em nascimento, brilhando ao sol, com palmeiras- -meninas que estão paradas assim de cabelos ao vento, conversando umas com as outras com palavras como as nossas: de ar.

Eilat é uma coisa tão nova, tão nova, que muita gente de Israel ainda não chegou até lá. Falam assim como em sonho de pesca submarina, de museu marinho, de areias coloridas, de minas de Salomão... – mas como em sonho, apenas. E Eilat está aqui.

A pessoa que construiu este pequeno e gracioso hotel devia estar sonhando também que construía um teatro. (Em Israel sonha-se noite e dia.) E distribuiu degraus por toda parte: meia dúzia de degraus para se chegar ao quarto. Dentro do quarto, outra meia dúzia de degraus para separar o plano em que se dorme do plano em que se contempla a paisagem. Para a sala de jantar, meia dúzia de degraus. Dentro da sala de jantar, meia dúzia de degraus, de modo que os copeiros vão e vêm, no seu serviço, passando por um tablado, como atores em cena.

A tarde empalidece as montanhas que são como dois altos muros a leste e a oeste. Ficam lilases, azuladas, depois de terem sido purpúreas. Essas areias azuis, vermelhas, amarelas, roxas que se apontam longe – não sei se no chão, se no céu, se no mar... – aparecem em frascos, tal qual no Nordeste do Brasil, onde pacientemente são arrumadas em camadas, formando desenhos: perfis de tamareiras, de camelos, tudo esquemático, em cores contrastantes. E há os passeios noturnos pelo mar: numa barca de tolda de bambu e fundo de vidro, através do qual se podem avistar as maravilhas submarinas. Todos se sentam em redor desse vidro, que forma a parte central do fundo da barca, e procuram ver o que aparece. É como se fôssemos surpreender o sonho do mar: pois nada se parece tanto com um sonho marinho como esses canteiros que às vezes surgem, e parecem de prata e cobre e gaze – fluidos, transparentes, como um reino encantado que a água protege, e dentro do qual os nossos olhos boiam de repente como pequenos peixes tontos. Jardins de coral branco, canteiros de esponjas e estrelas e folhagem lânguidas que abanam adeuses, quando a barca passa e encrespa as ondas.

Mais belo que tudo isso é o vento. À noite, o vento fica solto, como um ser pré-histórico. E corre pelos quatro pontos do céu e da terra, e fala uma imponente linguagem. As estrelas parecem miudinhas; as casas, as pessoas, tudo fica efêmero, insignificante, póstumo – quando este vento se levanta e parte. Às vezes, sossega um pouco. São as vírgulas e os pontos monumentais do seu discurso. Logo recomeça, com muito mais bravura, com muito mais paixão. Ao seu abraço, o mar encolhe-se, reduz-se, desfalece num pequeno suspiro; as montanhas estremecem interiormente, como cheias de corações. Por amor a este vento, não se deve dormir; deve-se pensar nele a noite inteira, responder-lhe, perguntar-lhe, indagar seu verdadeiro nome e o sentido de sua mensagem, receber na alma o que ele está dizendo, e nunca mais o esquecer. Vento. Espírito. Deus. É preciso estar acordado e viver com o vento, sobre o vento, pelos aléns do vento.

De manhã, tudo é simples e quieto como se a noite não tivesse existido e o vento não tivesse galopado, desenrolando suas profecias, com a cabeça nas estrelas e as franjas do seu manto arrastadas pelas areias. As grandes portas do dia prendem o vento no seu reino sobrenatural.

Descobre-se então que a cidade continua a crescer, que os edifícios e as árvores continuam nos seus lugares, que o museu está indene, com os seus esqueletos de tubarões, suas coleções de peixes, conchas e tudo que vimos vivo, sob as águas, e aqui enrijece na sua morte, em suas esculturas muito exóticas de cal.

Oh, este mar de Eilat! Podia-se ficar aqui muito tempo, pensando... "O rei Salomão construiu uma frota em Esion-Gueber, que é perto de Eilat, à beira do mar Vermelho, no país da Idumeia...". Por esses caminhos vê-se chegar a rainha de Sabá, que vem propor seus enigmas ao grande rei...

Mas deixa-se o mar para trás, deixa-se para trás o sonho, volta-se para o norte, regressa-se a Beer-Sheva. No caminho, as minas de Salomão são como barreiras verdes e azuis dentro das quais se vai trabalhando na extração do cobre.

Há também no caminho um campo experimental de cultivo na areia. Damos uma rápida volta por dentro. Grupos de rapazes e moças. Ouvem a explicação de um professor ou monitor. E um chuveiro gira fino, sutil, irisado como se fosse um turbilhão de asas de libélulas. Todos esses sortilégios são para arrancar à aridez do deserto uma árvore, um arbusto, uma planta... Aquele que fala, diga o que disser, pode ser que seja o profeta Isaías, – e certamente aqueles jovens estão ouvindo isto: "A terra deserta e sem caminho se alegrará e a solidão exultará e florescerá como a açucena... Fortaleci as mãos frouxas e os joelhos vacilantes... Rebentarão da terra mananciais de água no deserto e torrentes

Crônicas de viagem 3 ✦ 135

na solidão... E a terra que estava seca se tornará em tanque, e a que ardia de sede, em fontes de água... Nas cavernas em que dantes habitavam os dragões, nascerá a verdura da cana e do junco... E haverá ali uma vereda e um caminho que se chamará o caminho santo... E os remidos pelo Senhor voltarão, e virão a Sião cantando os seus louvores e uma alegria sempiterna fará assento sobre a sua cabeça..."

Talvez fosse isto o que o vento dizia à noite, de horizonte a horizonte, revolvendo estas areias, estremecendo estas pedras. Este deserto é como um rolo de Isaías, e as palavras são sementeiras traçadas pacientemente, para uma primavera que se aproxima.

Ficam para trás um campo de aviação, palmeiras, tamareiras, umas árvores encarquilhadas que não consigo reconhecer. E uma jovem que faz o serviço militar e pediu um lugar no nosso automóvel vem ao nosso lado cantando lindas canções, com uma voz tão suave e discreta que é mesmo como se o deserto já começasse a florir.

Rio de Janeiro, *Diário de Notícias*, 10 de agosto de 1958

O *kibutz* de Bror Chail

O brasileiro que passa por Israel fica logo sabendo da existência do *kibutz* de Bror Chail, pela simples razão de ter sido este *kibutz* constituído por pessoas oriundas do Brasil. Principalmente do sul do Brasil: de São Paulo, Paraná, Santa Catarina, Rio Grande.

O lugar é próximo a Gaza e marca, por assim dizer, o fim do deserto de Neguev. Daí para o norte, o aspecto do país vai sendo sempre mais risonho, com laranjeiras, vinhedos, campos verdes de cereais.

Segundo aprendi, *bror chail*, em hebreu antigo, significava "acampamento de soldados", mas essa é apenas uma das explicações para esse nome. Quanto aos velhos acontecimentos ligados ao lugar, são também inúmeros, mas os que se fixam mais facilmente são o nascimento de Sansão e o casamento de David, que ali teriam ocorrido.

Todos sabem que o *kibutz* é uma colônia coletiva, formada por um grupo de pioneiros que se responsabilizam por todos os trabalhos inerentes à vida de um agrupamento humano. Há em primeiro lugar os trabalhos relacionados com a terra (agricultura, criação); às vezes, alguma indústria; há depois os trabalhos sociais: educação, saúde, cultura. Problemas de habitação, vestuário, higiene,

Crônicas de viagem 3 ✦ 137

alimentação, escolas, enfermaria, tudo depende de todos. Vive-se fraternalmente, as tarefas são distribuídas em rodízio, e ninguém recebe dinheiro pelo seu trabalho. O produto do *kibutz* é utilizado no seu próprio melhoramento: aquisição de máquinas, reforma ou construção de habitações, escolas e outras dependências, uma vez atendidas as necessidades de alimentação, vestuário e demais gastos imediatos.

É muito difícil descrever um *kibutz* pormenorizadamente, por muito que se tenha lido a respeito ou se procure observar de perto. Todas as atividades se entrelaçam de tal forma que por mais que se pergunte, sempre fica uma coisa esquecida. Além disso, parece-me que "o espírito" do *kibutz* sofre alguma variação de um para outro. O grupo de Bror Chail publicou um livrinho narrando suas experiências; há também uma interessantíssima narrativa de Joseph Baratz sobre Degânia, o primeiro *kibutz* instalado em Israel; há o que cada um nos conta, por aqui e por ali; há o aspirante a kibutziano; há o antigo kibutziano que renunciou, com certas decepções; há o que deixou o *kibutz*, mas continua a amá-lo; há quem não entenda absolutamente o *kibutz* e nem queira ouvir falar nisso; há quem se sinta incapaz, por sua maneira de ser, de fazer parte de um *kibutz*, mas considere a sua organização realmente importante e admirável... O forasteiro que dispõe de pouco tempo, e quer formar uma opinião honesta sobre o *kibutz*, sente-se um pouco perdido entre tantas contradições. Refletindo bem, admite-se que, uns por temperamento, outros por orientação filosófico-religiosa, outros por ausência de entusiasmo ou pessimismo não podem, realmente, compreender bem o *kibutz*. Mas, se considerarmos que é preciso formar uma pátria pelos seus alicerces; que os judeus chegados de todos os pontos do mundo buscam reatar em Israel uma tradição agrícola milenar, interrompida pelas fatalidades de exílios e perseguições; se considerarmos sobretudo que essas experiências, segundo se afirma, têm dado os melhores resultados, fixando o homem à terra com amor, pelo trabalho, e preparando gerações novas nascidas já nesse ambiente de entusiasmo e coragem, temos de desprezar todas as idiossincrasias pessoais e admirar o que se está fazendo nesses trezentos *kibutzim* que marcam no mapa de Israel pontos gloriosos de atividade criadora e de vida ardentemente devotada a um grande e comovente ideal: o da ressurreição de um povo.

Como geralmente se reconhece ao longe uma cidade por um campanário, uma fortaleza ou a ponta de um castelo, reconhece-se o *kibutz* na paisagem pela torre de água. Ali, pois, é Bror Chail. Um largo planalto; uma extensão verdejante; uma brisa fria; a luz da tarde já muito oblíqua. Estamos numa espécie de pátio central, e a paciente, a amável moça que nos acompanha mostra-nos as construções em redor. São pequenas habitações, com um alpendre cimentado, tendo na frente canteiros um pouco desgrenhados pelo vento, com algumas flores vivamente coloridas. O interior das casas é muito simples, com uma ou duas peças, mobília sucinta: mesa, alguma estante com livros, cadeiras, dormitório. Todo o *kibutz* come num refeitório comum, que é ao mesmo tempo sala de assembleia para discussões de assuntos gerais, sala de reunião para qualquer atividade coletiva. As crianças comem e dormem em separado, e durante o dia estão entretidas em creches e escolas. De modo que as habitações são apenas para os adultos – umas para solteiros, outras para casais.

Agora à tardinha as crianças correm para brincar com os pais: parecem alegres e saudáveis, têm carinhas de maçã madura e vêm muito agasalhadas em malhas de lã.

Dizem-me que há neste *kibutz* umas quatrocentas pessoas e umas setenta crianças. Os adultos falam português, ainda: mas seu idioma agora é o hebraico. E só hebraico falam as crianças.

Começa a escurecer. Meninas e meninos vão para o seu alojamento, e os adultos dirigem-se sozinhos ou em grupo para o refeitório. Mesas forradas de oleado branco, pratos de matéria plástica, refeição simples, e depois um pouco de conversa na casa de um dos kibutzianos que é professor e está preparando um dicionário hebreu-português.

Vou dormir no alojamento de uma simpática moça do Rio, que está de turno na cozinha. Entre o seu divã e o meu há um aparelho de rádio e um despertador. Já deitadas, ouvimos ainda o noticiário que está sendo irradiado. Depois, antes de apagar a luz, ela me diz: "Quando o despertador tocar, não se levante: é muito cedo". E a noite é uma grande paz. Sei que tudo está sereno, entre o céu e a terra, neste recanto de Israel. Os tratores descansam, dormem as galinhas e as vacas. Há um cheiro de campo, de flor, de orvalho. O rumor do relógio, no silêncio, parece o de uma motocicleta.

Quando o despertador toca de madrugada, ouço a minha companheira dizer que ainda é muito cedo, que o sol ainda não apareceu... E continuo a dormir. Ela, porém, já se levantou, já foi tratar de suas obrigações. E quando saio, mais tarde, no pátio que cheira a erva, a estábulo, a todas as coisas claras da manhã, encontro as crianças que fazem raminhos de flores, e fazem-me perguntas em hebraico...

Crônicas de viagem 3 ✦ 139

Depois, visito as instalações do *kibutz*: lavanderia, escolas, enfermaria, rouparia... Não posso ver todos os moradores do *kibutz*: estão trabalhando. Ando por dentro de uma escola em construção. Mostram-me os planos de obras futuras, a previsão de trabalho para os próximos anos.

Tudo, porém, que um forasteiro pode ver e escrever sobre um *kibutz*, apenas com uma rápida visita, é precário e insignificante. O conjunto da obra é que vale. O esforço de cada dia. A consciência de responsabilidade. O sonho de construir Israel – com muitas renúncias, muitas esperanças, muitas decepções. Uma vocação messiânica – embora muitos kibutzianos possam não estar de acordo com o adjetivo. (Tantos lugares palpitando, como Bror Chail, ao longo deste país traspassado de milagres!)

Rio de Janeiro, *Diário de Notícias*, 24 de agosto de 1958

Purim em Tel Aviv

O *Purim* em Tel Aviv é mesmo como um carnavalzinho: os hotéis preparam seus salões para a festa; as crianças e os adolescentes aparecem pelas ruas, pelas janelas, pelas portas, felizes nas suas fantasias. Dessas fantasias, apenas umas três ou quatro nos fazem lembrar que estamos em Israel: um rei, um profeta, José com sua túnica de cores... O resto são dançarinas, noivinhas, soldados, *cowboys*, Chapeuzinho Vermelho, diabinho, velha, e – como curiosidade – uma freirinha. Há, também, pequenas holandesas e outros trajes regionais; tigres, anêmonas encarnadas, autômatos...

Do lado de cá dos festejos está outro aspecto de Israel: estão as moças--soldados que vamos visitar com esta rapidez que aqui se usa, e que converte qualquer pessoa em anjo.

A primeira coisa agradável, na comandante Dina Werde – de quem todos nos dizem maravilhas – é ser uma pessoa extremamente feminina, apesar de seu uniforme. Além de feminina, com um fino encanto pessoal. E tudo isso – ao que parece – com um grande domínio de si, e um sentido muito seguro de disciplina.

Como hoje é o *Purim*, recebe-nos com chá, refresco, e as famosas "orelhas de Aman". E põe-se a falar das suas "meninas". Porque as jovens em Israel fazem também serviço militar, como os rapazes, apenas por um prazo menor. Todo o mundo, a princípio, morre de saudade – a família, em casa (principalmente o pai), as meninas no quartel. Umas suspiram pela mamãe, outras adormecem ainda como criancinhas, roendo o dedo ou coçando a cabeça. Não sabem nem colocar direito o quepe. E como as jovens de Israel chegam de muitos lugares, com diferentes hábitos, os primeiros tempos não são muito fáceis. Ainda não sabem hebreu, estão acostumadas a diferentes tipos de vida e de alimentação; e evidentemente não é a mesma coisa uma jovem chegada do norte da África, da Europa Central ou do Extremo Oriente. Mas a vida em comum vai pondo tudo isso em ordem, estabelecendo uma identidade que custaria muito mais a ser obtida, certamente, sem essa fraternal companhia.

As moças que fazem o serviço militar, além de toda a aprendizagem especializada, e do convívio que lhes dá unidade e sentimento nacional, preparam-se para ajudar em serviços sociais, na assimilação dos imigrantes etc., facilitando assim a educação dos adultos em seus variados aspectos.

É muito comovente ver todas essas camas arrumadas, esses sapatos engraxados, essas armas limpas e saber-se que cada mocinha dessas está aprendendo não apenas a defender-se e a defender seu povo, em caso de perigo, – mas que se vai tornando um elemento responsável, consciente, que se integra na formação do país.

Do lado de lá do *Purim*, está o teatro Habima, que gostaria de conhecer melhor, depois de ter assistido a um de seus espetáculos. É um teatro universalmente famoso, com repertório de obras-primas internacionais e representações em hebreu. Mas entre o quartel e o teatro está o *Purim*. Ora, o programa do *Purim*, este ano, compõe-se de uma série de festejos organizados oficialmente, com desfiles, carros alegóricos, danças, música, circo, prêmios para fantasias: coisas que o malvado Hamam jamais poderia imaginar, lá no fundo dos tempos do rei Assuero, que um dia teriam de acontecer por sua causa.

O programa oficial anima as crianças de Tel Aviv e Jafa, convidando-as para a festa que, afinal, é uma festa cívica: "*Children of Tel Aviv [and Jafa] enjoy [yourselves] on this – [your] own Purim holyday!!!*"

E as crianças vêm para a rua, acompanhadas dos parentes, e às duas horas, que é a hora do desfile, o centro de Tel Aviv já se torna de difícil acesso, pelas modificações do tráfego.

Há um pouco de música pelo ar, muita gente pelas janelas dos arranha--céus, já está repleta a longa e larga arquibancada que se armou em certo trecho da cidade por onde vão passar os carros e o cortejo. (De vez em quando, um alto-falante anuncia a que distância se encontram, e em quantos minutos estarão aqui.) As crianças sobem pelos bancos, esticam-se pelas janelas, ao ombro dos pais: – por todos os lados são toucas holandesas, saiotes de babados coloridos, mantilhas de pequeninas espanholas, tarlatanas, ouropéis, pétalas de papoulas, estrelas de fadas, – "... *enjoy yourselves...*" – as crianças obedecem, e desfrutam o seu *Purim*.

Depois, começam a passar as bandeiras, os emblemas, a música, as crianças e os jovens fantasiados. Há coisas extremamente interessantes, como um grupo que representa legumes e frutas. Lá vai o curioso grupo caminhando, como um mercado fantástico sonhado em cores vistosas que o sol aviva mais, e que o vento move como labaredas.

Depois vêm os grandes carros com os episódios do livro de Ester. Há obras muito bem realizadas, e as cenas antigas estão traduzidas em desenhos, formas e composições de intenção muito atual.

Passam jovens que exibem danças típicas. E outros carros, e outros músicos... E todo o mundo está feliz, e as crianças extasiadas se inclinam das janelas, das varandas, dos braços, dos ombros dos pais, sobre o desfile que vai passando, que vai passando pela avenida principal.

E depois é como depois de todos os desfiles: cada um corre à procura de condução, que nem sempre é fácil; lá vão as holandesas meio cansadas, as anêmonas um pouco murchas, as rainhas de coroa na mão, o autômato com o pé machucado, e, enquanto não se pode voltar, há os cafés, as casas de doces, as mesas que se juntam, todo o mundo tem fome, sede, – mas todo o mundo se sente muitíssimo feliz e cada pessoa é uma criança que está aproveitando até o máximo a sua bela festa.

Terminado o desfile, as crianças continuam o *Purim*. Por todos os lados os diabinhos e os príncipes, as dançarinas e os soldados parecem muito contentes, embora bastante fatigados. A noite que escurece a cidade não apaga as cores dessas fantasias, que surgem pelas esquinas, que assomam à janela dos edifícios, que brilham pelas portas. E o forasteiro que passa olha para tudo isso com uma outra alegria, porque é festa em Israel depois de tantas tragédias; porque há crianças felizes que despertam numa pátria nova; porque neste país de milagres, numa cidade moderna esta página bíblica se abre pelas ruas, em cortejo, danças, carros alegóricos recordando uma intriga milenar, uma perseguição que o tempo haveria de repetir, e uma salvação prodigiosa e inesquecível. E pensa-se nessa história velhíssima, que cada criança aprende e vive, neste seu dia de festa. É esta profundidade no tempo que seduz aqui o forasteiro de boa vontade. Depois de tanto exílio e sofrimento, a família bíblica se reúne e seus filhos brincam sobre o seu mais velho tema, que é de exílio e sofrimento. O forasteiro não pode deixar de olhar com ternura para a cidade que começa a adormecer sossegada, depois de tanta alegria, – a cidade que se vai cobrindo de silêncio e luar. O luar do *Purim*.

Rio de Janeiro, *Diário de Notícias*, 21 de setembro de 1958

De Tel Aviv a Haifa

Israel tem essas duas capitais: Jerusalém e Tel Aviv. Quando Israel significa – aos olhos do forasteiro, naturalmente – a terra bíblica, um mundo de elaboração espiritual, cruzado pela voz de Deus em todas as direções, então, a capital é Jerusalém. Quando Israel – sempre aos olhos do forasteiro – significa um país novo, reunindo a sabedoria antiga à experiência moderna, com raízes no Oriente e fronde no Ocidente, então, a capital é Tel Aviv. É um pouco assim como a história de Maria e Marta. Cada um ama o que pode. Mas quem pode deixar de amar Jerusalém?

A vida em Tel Aviv parece-nos extremamente ativa, extremamente prática: todos parecem extremamente eficientes. Como este ano inteiro haverá celebrações do décimo aniversário de Israel, o serviço que controla esses festejos está em plena atividade. Há lindíssimos impressos de propaganda; os programas estão sendo estabelecidos com muita minúcia; e entre essas inúmeras ocupações que estabelecem um ritmo acelerado, ainda há tempo para gentilezas de hospitalidade: chá, bolos, palavras gentis.

A mesma coisa na Histadrut, onde um chefe muito parisiense conta-nos suas experiências e responsabilidades à frente dessa grande organização que reúne os trabalhadores de Israel. Ai de mim, que não sou especialista em tais assuntos, mas encontro depois umas senhoras ativíssimas, que me falam de leis, de trabalho feminino, mostram-me uma revista que publicam, tomam notas, gostam de poesia, também; e são muitas, e cada qual mais amável, e eu me sinto como nos brinquedos infantis, quando se fica no meio da roda.

Alguém teve a belíssima ideia de designar uma formosa e inteligente moça para conduzir-me a uma exposição de desenhos e pinturas infantis. Não me poderiam dar melhor presente: salas e salas cheias de trabalhos de crianças. As mais variadas técnicas. Os mais variados assuntos. Cenas de *kibutz* e cenas bíblicas. Tratores trabalhando e a passagem do mar Vermelho. E como noutra sala há uma exposição de pintor moderno (que às vezes recorda Vieira da Silva), fala-se de pintura, de pintores e da aldeia de Ein Hod, onde uma colônia de artistas se reúne, dedicada a seus trabalhos, expostos depois em diferentes lugares. Mas isso é mais para o norte, a caminho de Haifa.

Quando eu pensava que ia deixar Tel Aviv sem pensar em temas bíblicos, quando pensava que sairia daqui com a lembrança apenas destes edifícios modernos, destas avenidas, deste belo parque, destas lojas movimentadas, a formosa moça levou-me a ver Jafa. Recitei-lhe em pensamento os versos de Tomás Ribeiro em "A judia". Pareciam ter sido feitos para aquele momento:

> Onde nasceste? onde brincaste, ó bela
> rosa singela que não tens jardim?
> Em Jafa? em Malta? em Nazaré? no Egito?...

Mas a "rosa singela" que agora já tem seu jardim em Israel falava-me do profeta Jonas – pois daqui partiu ele para Társis, pensando poder fugir às ordens de Deus. Também aqui esteve São Pedro, em certo milagre. E quantas outras coisas se passaram, neste cantinho, de onde se avista o mar azul, do alto de um caminho pedregoso! As construções que se amontoam desordenadas, na paisagem, têm uma tonalidade de concha e flor, como madrepérola arranhada, calcárea e rósea.

Como estas coisas antigas conservam seu prestígio, por mais que a velhice as consuma! Que importantes coisas aconteceram, outrora, que ainda hoje repercutem na nossa alma! Se a humanidade viver ainda dois mil anos, algum dos nossos gestos de hoje, alguma vida de hoje poderá estremecer o coração de uma criatura de então, como nós hoje somos ainda estremecidos por essas do passado? Ai de nós!

E assim vamos voltando de Jafa e mergulhando em Tel Aviv, com seus cafés, suas livrarias; seus escritores tão amáveis, que nos recebem na sua associação; com esse aviador que nos veio trazer suas traduções de um grande poeta – Uri-Zwi Grinberg, – exatamente como quem descesse do céu com essas páginas desenroladas na mão...

Tel Aviv de numerosas lembranças. A moreninha da sapataria disse-me que não estava falando espanhol, mas ladino. Perguntei-lhe se era muito diferente. Exemplificou-me: *"En español se dice negro: en ladino, preto"*.

A elegante pintora estendeu à beira da piscina do hotel seu casaco de pelo de camelo. Artesanato de Israel que aqui e por todo o país tem suas oficinas e lojas. Mas é a primeira vez que vejo um casaco assim. A tela, entre caramelo e café, é de fio grosso e o tecido ralo como sarapilheira – mas o efeito, de grande beleza. E enquanto ela se vai sentando, começo a lembrar-me daquele que tinha "um vestuário de pelo de camelo e um cinto de couro em redor dos rins..."

Isto ajuda a recordar, no reino amarelo do deserto, a sombra de São João Batista falando para o ouvido das areias, para a boca das areias, que pareceriam tão frágeis e volúveis, e, no entanto, conservam para sempre o rumor e o sentido de apenas um punhado de palavras.

Mas agora o nosso caminho é para Haifa. Quem diz Haifa diz Carmelo, diz Elias, Baal, Pitágoras, oráculos, cristãos. Entre todas essas imagens que se precipitam, cantam em nossos ouvidos aquelas palavras: "... a magnificência do Carmelo e do Saron..."

Mas paramos em Cesareia. Cesareia deserta, Cesareia de areias escuras, tendo aberto no meio de sua solidão esse pavimento que os arqueólogos vão recompondo, com essas duas grandes e formosas estátuas decapitadas que, de um lado e de outro, esperam à entrada a passagem de convidados sobre-humanos para algum festival de fantasmas. Pensar que o dia e a noite caminham por aqui, por esta vastidão vazia, com o mesmo sol, com a mesma lua que cobriram antigos sonos e projetaram sombras de antigos vultos... "Eu não estou louco, ótimo Festo, mas digo palavras de verdade e de prudência..."

E assim se caminha até a fortaleza, essa grandiosa ruína, e assim se chega a essa íngreme escada de pedra que não conduz a nada senão ao ar, senão à cor do céu, e de onde se pode ver o mar por dois lados, um mar inesperado, fortemente colorido, que ora é verde ora azul, um mar cujas histórias se poderia ficar ouvindo para sempre, destes degraus de pedra, desta areia cheia de conchinhas e caramujos, neste silêncio feito de mil vozes gastas pelo tempo, de mil vozes humanas questionando pela voz de Deus.

Sobe-se para Haifa e para-se um momento em Ein Hod, a aldeia dos artistas. Eles adaptaram estas casas, danificadas pela guerra, como quem compõe um quadro ou levanta uma escultura. O lugar com seus altos e baixos é por si mesmo cheio de surpreendentes perspectivas. Aí vivem umas setenta pessoas que levam depois seus trabalhos para exposição e venda noutros sítios. Uma das casas funciona como uma espécie de museu: tem as paredes recobertas de quadros. E há pequenos jardins, portas curiosamente pintadas, um ambiente irreal, como se nada disto na verdade existisse, mas estivesse sendo apenas sonhado.

E assim nos vamos aproximando de Haifa. O crepúsculo viaja conosco. E em breve aparecerão estrelas, e começará o Shabat.

Rio de Janeiro, *Diário de Notícias*, 12 de outubro de 1958

De Haifa a Nazaré

Que Haifa brilhe diante dos nossos olhos, subindo em três planos, do mar ao Carmelo; que a tarde caia, muito morna, e que se possa ver, de diferentes mirantes, de parapeitos com árvores lânguidas, a curva da cidade, como se estivéssemos no Rio, em lugares de Santa Teresa; que a camareira tire de uma caixa azul a roupa com que vai preparar a cama e pare com certo ar medieval, dizendo-me "*sehr schon*" – tudo isso ficaria nos meus olhos, inesquecível. Mas que o vento comece a rugir, que a noite estremeça no Carmelo, no mar, nas paredes, nos sonhos, como se tudo fosse terminar, imediatamente – isso é para ficar na alma para sempre, muito além do que fica nos ouvidos e na simples memória: porque este vento de Israel é impressionante, como se não fosse apenas feito de correntes de ar, mas de mensagens, de avisos, de impressões, de súplicas. Os antigos devem ter aprendido oratória ouvindo o vento. Como se fala com desespero, com bondade, com blandícia. Como se exorta, como se ameaça, como se abençoa. Todas essas lições e muitas outras o grande vento vai derramando sobre Haifa a noite inteira. E às vezes canta, lírico e heroico. E além da sua voz, no meio das pausas, sente-se um pequeno, frágil acompanhamento, como de inúmeras, leves, trêmulas cítaras.

Este é o vento que deixamos em Eilat. Ocorre-nos pensar que é um vento sempre noturno, que percorre, misterioso, estas suas terras, e ensina aos que estão dormindo sua eterna sabedoria.

De manhãzinha, apresso-me em levantar a persiana, para ver se Haifa subsiste. Oh, sim, tudo está nos seus lugares, mesmo este cipreste, fronteiro à minha janela, pelo qual temia, durante a maior força do vento. Alto e negro e delicado inclina-se com brandura para um lado e outro, enquanto dorme ainda, toda fechada, a clara casa a que pertence. A pálida Haifa parece lavrada em marfim. E o calor baço da manhã parece prometer alguma chuva, dessas chuvas inquietas e descontínuas que às vezes se vêm cair caprichosamente com um punhado de agulhas e mesmo no ar se evaporam, como um frio fogo de artifício.

Ovos cozidos, pão, café, queijo, azeitonas, peixe salgado, tomate – tudo isso é episódico, para quem desperta ainda palpitante desses vastos monólogos do vento. Desses profundos cânticos. E quando se está em Haifa e se vai para Akko, a São João de Acre dos cruzados que, no meio de tantas lutas, aí levantaram a igreja desse nome.

Diante do porto de São João de Acre, é toda uma longa história de combates medievais que pousa ainda nas velhas construções: pedras, pedras, ruas de pedra, muros de pedra, uma paisagem mineral, cinzenta e amarelada, que fala das lutas de franceses e sarracenos e desse Ricardo Coração de Leão com suas galeras afundando aquele navio dos inimigos que levavam até serpentes para ajudarem a desbaratar os cristãos.

Esta era a água das velhas aventuras! esta água azul, verde, mole, muito balançada, que aparece de repente, formando com estas pedras vagamente douradas um contraste que nenhum pintor desenharia. E barcos. Barcos arredondados que boiam como se fossem vivos, como se estivessem por ali nadando à sua vontade, como uns patos grandes, coloridos, preguiçosos.

E há barcos em terra. E esses parecem umas camas fundas, e dentro deles dormitam, envoltos em panejamentos brancos, os últimos possíveis descendentes sarracenos daquelas grandes batalhas, com engenhos de guerra por cima destes muros, e lanças e capacetes e estandartes brilhando a esta luz. E em São Luís e na Rainha Margarida – toda tímida entre tantos horrores, com seu filhinho nos braços – como não havemos de pensar, se quando o rei aqui chegou "todas as processões de Acre vieram ao seu encontro, recebê-lo até o mar, com uma bem grande alegria..."

E neste lugar de mouros e cristãos, vamos visitar a mesquita, onde um guia fala seu inglês, a apontar riquezas que só ali existem, como sempre cada guia mostra dentro dos seus domínios. E tudo isto esteve empapado de sangue, entre o crescente e a cruz! E estas ruas estreitas, ruas de fortificação, tão quietas e docemente sombrias agora, são como páginas de memórias medievais, ilustradas de um lado e de outro por estas pedras, por estas ruínas, por estas portas.

De repente, um grupo de crianças se derrama na sombra amarelada, como um ramo de flores num vaso de barro. Daquela idade em que se está mudando os dentes e o riso tem uma graça particular na boca vermelha e úmida. E as crianças cantam. Somente elas existem na comprida e estreita rua. Seus vestidinhos coloridos agitam-se para cá e para lá, como sinos. Querem saber qual delas canta melhor. Vêm pedir a nossa opinião, com essa cordialidade deliciosa da infância. Ponho-me a pensar nas crianças que deviam estar escondidas e assustadas nos tempos das velhas lutas, quando o fogo andava por estes caminhos que agora parecem um simples cenário para estas crianças que cantam. E suas vozes agudas batem nestas pedras onde bateram lanças. E elas cantam ainda cantigas do *Purim*.

Deixa-se a costa da Galileia, em direção a Nazaré. "De Nazaré pode vir alguma coisa que preste?"

Nazaré está diante de nós, cercada de montanhas suaves. Numa espécie de largo ao lado do sítio onde morou a Virgem, tudo são coisas arqueológicas: cisternas, cavernas, planos de diferentes edificações de igrejas de diversas épocas. Anda-se por cima de tábuas, e o guia vai falando o seu francês, e mostrando lugares, como o da Anunciação com a sombra do anjo; a casa de São José, tudo com escadas pela rocha abaixo, desnudo e solene, mais que as grandes igrejas, com solidão, penumbra, um ar de seculares pensamentos acumulados. E o poço, e a casa da Santa Família, tudo vazio, com as paredes calcárias arranhadas pelos visitantes que sempre levam consigo um pouco daquela terra que viu e ouviu o "filho do carpinteiro" que aconteceu ser Filho de Deus. Tudo muito emocionante na sua profunda e natural simplicidade. E o guia no seu estilo: "*ici manger, ici coucher...*" – e uma rua que vai subindo com pequenas oficinas de um lado e de outro: o caldeireiro a bater uma bacia como se fosse um gongo; o ferreiro só com o rosto iluminado pelo fogo da forja, num fundo negro, como nos contrastes luminosos de Rembrandt; um homem sentado à porta a pôr cabos nas facas; e os sacos de grãos, e os de condimentos; e os montes compactos de tâmaras; e as réstias de cebolas; e os armarinhos com panos pendurados de alto a baixo; e num cantinho o homem que faz colares e terços com caroços de azeitonas; e pequenas esculturas e "lembranças" em madeira de oliveira, essa cheirosa madeira, fina como seda, com seus veios que parecem de sangue, num corpo que fosse de luz.

E numa esquina há um homem que, como todos os demais, parece um profeta, e faz uma grande arenga a que ninguém presta atenção, brandindo um saco vazio, de aniagem, como se fosse uma bandeira tosca. E depois da pimenta e dos feijões, e das sementes de girassol e de todas essas coisas que cheiram e brilham e que as mulheres com panos brancos pela cabeça, como Nossa Senhora, estão escolhendo e comprando; e enquanto as crianças correm e o céu ameaça chuva, há pessoas esperando que o vendedor de pita lhes sirva o que querem comer. E a pita é uma espécie de pastel oco, onde se metem umas bolas de carne moída e refogada como umas pequenas almôndegas redondas, do tamanho de uma noz.

Rio de Janeiro, *Diário de Notícias*, 26 de outubro de 1958

De Tiberíades

A chuva salta por aqui e por ali, respingando humildes casas de Nazaré. Estas habitações da Santa Família, com as explicações que recebemos sobre cada lugar, e as suas sucessivas construções e os restos arqueológicos amontoados pelos arredores, nada disso é talvez tão impressionante como a própria paisagem: não é preciso fechar os olhos para se imaginar Jesus menino caminhando por estas ladeiras – oh! como tudo parece ainda do seu tempo! Não é preciso fechar os olhos para sentir mais tarde a sua passagem: "E deixada a cidade de Nazaré, veio habitar em Cafarnaum, cidade marítima..." O mar de Cafarnaum é o lago de Tiberíades, o lago da Galileia, o lago de Genesaré, que todos esses nomes são dados ao que aqui se diz *Kinnéreth* e que tanto pode vir de *quinôr*, pelo seu contorno, semelhante ao de uma cítara ovoide, como pode vir do nome da alcachofra, que talvez existisse nas proximidades.

Nós também seguiremos para Cafarnaum, que é para o norte, orvalhados por esta chuva de Nazaré que agora vemos brilhar sobre o amplo vale verde. Estamos almoçando num restaurante situado num ponto alto de onde se avistam campos e montanhas. É um vento como o de Eilat, um vento como o de Haifa ruge agora sobre Nazaré, de onde se precipita por estas solidões que a cercam, e chegamos a pensar que este vento é um companheiro invisível, que vem atrás de nós narrando uma história; um vento que vai unindo o Antigo e o Novo Testamento, numa linguagem grandiosa e convincente, passando dos amarelos, dramáticos desertos a estas ridentes várzeas, dando voltas por Israel como um cântico que vai passando de uma corda para outra, no curvo mapa das harpas.

Por entre montes e vales, subindo e descendo, como numa canção medieval, vamos encontrar o lago de Genesaré. Toda a história do mundo cristão perpassa por suas margens, caminha sobre as suas águas, navega em suas barcas, desce pelas suas ondas até o reino dos peixes. ICHTHYS: Jesus Cristo, Filho de Deus, Salvador. Parece uma água muito grande. Parece mesmo um mar. E está cinzento, agora, com o céu nublado e a chuva esparsa. Sua moldura é de silêncio e de solidão. De sonho, também. Tudo se torna mais simples, mais fácil, mais conhecido. "Fazei penitência, porque está próximo o reino dos céus." E daqui a pouco talvez Simão e André saiam das águas, com suas redes, e uma grande multidão se aproxime, aparecendo por entre esta verdura que rodeia tudo, que esconde casas, vidas, como se isto fosse para sempre um lugar de milagres, unicamente.

Pelo caminho, avistáramos a torre vermelha de Caná: o princípio dos milagres, a água mudada em vinho, numa festa de casamento. Agora, aproveitando uma estiagem, tentamos alcançar o túmulo de Maria Madalena, no lugar chamado Migdal, palavra que significa "torre". Mas o caminho é difícil, irregular e lamacento. Como a chuva parou, a paisagem adquire essa cor lúcida, radiosa, dos verdes lavados, que cintilam ao mais furtivo clarão de sol. E, se não chegamos ao túmulo da enigmática Madalena, encontramos um homem curioso, numa casa curiosa, a fazer pequenos objetos de madeira de oliveira: enfeites, broches, pequenas esculturas. Dos broches, os que realiza com mais graça e naturalidade são os que representam folhas de árvores.

A cor da madeira dá-lhes um ar de folha seca e o movimento da escultura acrescenta-lhes uma crispação, como se ali naquela mesa simples estivesse sendo fabricado o outono. O artista trabalha na cozinha, e com muito pouca coisa: cola, ganchinhos para armar os broches, e as pequeninas esculturas, misturadas numa caixa. É extremamente agradável encontrar esse homem, no meio da solidão, e após o seu trabalho diário, todo entregue a essa ocupação que evidentemente o encanta.

O hotel é muito confortável e sua situação é estupenda, ao pé do lago, todo cercado de árvores e plantas. A comida é das melhores que temos encontrado. Servem-nos um peixe tão fabuloso que até se tem pena de comer. É um peixe quase redondo, avermelhado, do tamanho do prato, com umas espinhas duras no contorno e um olho que não está morto: um olho que me contempla, que me reconhece, que traz do fundo do lago de Tiberíades um longo recado que me ponho a escutar. E seu longo discurso termina assim: "Vinde, jantai". Mas eu não sei, na verdade, por onde começar a desmanchar este peixe, que ora me parece uma peça de cerâmica, ora um profeta disfarçado. E assim vou comendo palavras antigas, cenas de barcas, neste lago próximo, de um tempo de homens rústicos que se converteram em santos.

O salão do hotel está repleto dessas belas judias de fofos cabelos, de pele de magnólia, que usam decotes um pouco ousados e resplandecem cercadas de joias por todos os lados. Israel tem de tudo: Jerusalém nas alturas, Sodoma nas profundidades; o *kibutz*, com seu aspecto rural de égloga, e os hotéis de luxo com suas cintilantes beldades. Israel tem o deserto, áspero e severo, e tem esta doçura da Galileia, com o grande lago miraculoso, à espera de outras barcas, de outros pescadores, de outras multiplicações...

Amanhã, seguiremos para Tabgha (nome a que ficou reduzida a expressão *Heptapegon*, ou "Sete fontes"). Seguiremos para Cafarnaum e visitaremos o chamado monte das Beatitudes. Dentro de Israel, este pequeno recanto evangélico é, na verdade, um novo tempo. Tudo é simples, humilde, natural. Assim, de um lago, assim, das águas, assim deste líquido anel, deste suave anfiteatro surge uma história divina. Uma outra história divina, neste país de Deus que é Israel.

E assim dormimos em Tiberíades, num profundo sossego de árvores próximas, de chuva mansa, ao pé do lago tranquilo onde tantas coisas aconteceram e que daqui voaram para tão longe, leves e imortais. Esta noite, não é o vento que fala: é aquele peixe redondo que brilha no meio do sonho, como um grande selo sobre uma clara mensagem milenar.

Rio de Janeiro, *Diário de Notícias*, 9 de novembro de 1958

Sonho em Sáfed

Tudo aqui é tão perto que se pode ver Cafarnaum, Tabgha, o monte das Beatitudes, o lago, os franciscanos de vastas barbas brancas, o franciscano ebúrneo que passeia no seu campo arqueológico, os lugares dos milagres, – e ainda se tem tempo de ir almoçar em Sáfed (que aqui se pronuncia Sfad).

O ritmo do caminho, o ritmo da paisagem de altos e baixos lembram os versos de Altermann:

> Sou de Sáfed, sou de Sáfed.
> Os ventos e os montes e as noites
> deram-me olhos escuros.
> Os céus da Galileia e as águas do Merom
> puseram-me sonhos nos olhos.
> A natureza nossa é assim,
> e assim é o nosso tipo.
> E eu, principalmente, sou assim,
> Sou de Sáfed, sou de Sáfed.

E Sáfed está lá em cima. Dá vontade de sentar embaixo de uma árvore, olhar o casario que desce em vários planos, relembrar tanta coisa! – cruzados, sultões, cabalistas, Napoleão... E, ao longe, o lago de Tiberíades. E o Tabor, com sua auréola da Transfiguração.

Dizem que Oseias morreu na Babilônia, e era muito difícil, nesse tempo, vir-se da Babilônia à Palestina. Oseias queria ser enterrado em lugar sagrado e pediu que pusessem seu cadáver às costas de um camelo, e deixassem o animal ir andando livremente. Ora, sucedeu que o camelo veio andando até Sáfed. E quando chegou ao cemitério judeu, parou. E aí Oseias foi enterrado. (Que coisas aconteciam outrora! Como o presente é mesquinho, sem essa disponibilidade para o sonho, para o milagre... Tudo em redor de nós está pedindo que sonhemos, constantemente, profundamente... Mas as criaturas de hoje fecharam essa janela que dava para o lado fabuloso da vida. E ficaram como são, e nem sabem que são tristes!)

> Sou de Sáfed, sou de Sáfed.
> Os ventos, os montes e as noites...

Houve aqui pelo menos dois famosos tremores de terra. E até hoje tudo parece conservar a memória do sismo. "Aquela mancha azul, lá embaixo, numa parede... – que é aquilo?" Falaram-me que há sempre coisas azuis nas casas dos muçulmanos. Deve ser um muro pintado, simplesmente. Assim à distância parece uma superfície de safira.

Sáfed lembra certos lugares do norte de Portugal; lembra Ouro Preto, com suas ruas íngremes, de escadinhas, pedras, pedras... Assim é o chamado "bairro dos pintores", com as casas decoradas pelos seus donos. Quem quiser sonhar venha aqui, passe por aqui. Não deixe de olhar com amor para este portão que, na parte de cima, tem dois leões e, logo abaixo, entre arabescos, a mão aberta, a mão que protege (ocorrem-nos todos os símbolos: figa, aldraba, dedos que se transformam em estrela de cinco pontas...), a mão contra o quebranto, o mau-olhado, o inimigo; a mão-barreira – como naquele velho provérbio: "a minha mão direita no teu olho esquerdo; a minha mão esquerda no teu olho direito..." – que impede a passagem do mal.

Como isto é um bairro de pintores, as criancinhas que andam pela rua parecem ter fugido de quadros vivamente coloridos. Vão descendo a rua com passos miudinhos, rente à parede, e têm rostos vermelhos e redondos como frutas maduras. Seus vestidos são muito especiais: com barras, bordados, franzidos, alças: vestidos sonhados por pintores, e para serem imortalizados em pintura.

Algumas dessas crianças estão apanhando flores, entre as pedras: abaixam-se, levantam-se, arrumam o seu raminho que é menor do que suas mãos, e tornam a abaixar-se: estão procurando a florzinha que vai completar o conjunto – como naquela passagem de Rilke. Outras crianças estão muito interessadas em preparar massa de escultura. Olham tão sérias para o barro que estão molhando que até começam a concentrar uma prega na testa.

Com tanto subir e descer, vamos parar num sítio de onde se avistam uns canhões históricos. E um rapazinho pensativo que, nas imediações, contempla o horizonte confessa-me, depois de uma pequena conversa sobre estudos e vocações, que o seu sonho é ser oficial da Marinha: e olha para muito longe, para um mar que não vemos, para umas ondas, para uns imensos caminhos com uns olhos que deviam ser os de Nélson adolescente. ("Sou de Sáfed...")

Quando depois de tantas subidas e descidas vamos almoçar... ah! ninguém imagine que entramos num restaurante, não: entramos num romance russo. Um romance russo com muitas cortinas; quadros; lâmpadas suspensas, de metal rendado; lâmpadas não suspensas, de muitos feitios; piano, candelabros, assentos marroquinos; muitos objetos de metal amarelo; e, no meio de tudo isso, umas pequenas mesas, onde, segundo me dizem, são servidas coisas finíssimas.

Aparecem e desaparecem pessoas que não devem ser terrenas, mas aéreas. E não somente aéreas, mas aladas. Se houver algum rumor, será o de suas plumas. Entre cortinas oscilantes, laços, jarrões e outros objetos mágicos, desce uma bacia para lavarmos as mãos. E depois esperamos pelo almoço, que está sendo inventado num lugar secreto, e que afinal nos é trazido por uma jovem cor de marfim, com olhos de azeviche, que é turca e se move como as aves do paraíso. Ninguém saberá jamais o que comemos, nem pessoa alguma provará idêntica refeição, porque estas coisas encantadas são particularíssimas, rapidamente arrebatadas da memória, e tanto existem como deixam de existir, sem que possam ser explicadas nem escritas.

Esta moça poderia cantar:

> Sou de Sáfed...
> Os ventos, os montes, as noites
> deram-me olhos escuros...

Se o piano se puser a tocar sozinho, ninguém se surpreenderá. As portas abrem-se, fecham-se. Vultos assomam, desfazem-se. A claridade é como um pó de prata que vai caindo, finíssimo, e às vezes pousa, e às vezes volteia. O pavimento fica muito abaixo dos nossos pés, e o teto muito acima do céu. É assim.

E então uma sombra vira as xícaras do café turco, e principia a ler na borra o que vai acontecer. Como quem vai soletrando sobre um rolo que descesse da mão de um Profeta oculto numa nuvem. Nós é que não sabemos, mas dentro das xícaras aparecem coisas estranhíssimas: homens amarelos, mulheres de perfil, grandes solidões, florestas, a esfinge, muita gente que dança num jardim. Tudo isso. E o pó de prata da sombra entorpecendo a sala, os candelabros, o piano aberto...

Fechamos a porta sobre esse mundo de sonho exatamente como quem fecha um romance russo. Como continuará tudo aquilo, mais tarde, com a noite, a luz das velas, as cortinas, as franjas, as figuras silenciosas, cada uma com seu nome, sua história, sua sorte que todos os dias se pode ler no café turco, como quem lê o jornal...?

E agora vamos voltando para Jerusalém, por uma paisagem ondulada, com várzeas bem plantadas, e uns clarões pelo céu como se no meio das nuvens se abrissem vitrais redondos, mostrando em regiões fantásticas figuras e perspectivas deslumbrantes, de ouro e cristal. Pelo caminho vê-se o Tabor: "E o seu rosto ficou refulgente como o sol e as suas vestiduras se fizeram brancas como a neve". Moisés, Elias, Pedro, Jesus... "E eis que saiu uma voz da nuvem, que dizia: 'Este é aquele meu querido Filho em quem tenho posto toda a minha complacência...'"

Rio de Janeiro, *Diário de Notícias*, 7 de dezembro de 1958

O habitante de Caracalla

Isto que parece uma pequena cidade em ruínas é apenas o recinto das Termas de Caracalla, que mal se pode imaginar como seriam, com seus mármores, mosaicos e bronzes dourados. Entre estas paredes irregulares, tão acima das proporções humanas, também o raciocínio se extravia, como os passos do visitante: não se compreende o lugar do vestiário nem o da piscina, nem o ginásio dos atletas nem o estádio das lutas, nem a biblioteca nem os mostruários de modas nem o peristilo das palestras. Tudo isso está reduzido a uma confusa mas ainda imponente massa de arquitetura que o tempo deformou.

Menos ainda se entende por onde passavam essas águas, quentes e frias, que iam do *tepidarium* ao *sudatorium* e do *calidarium* ao *frigidarium*, para delícia dos banhistas revigorados por massagens de óleos aromáticos.

Dos banhistas também não se faz agora ideia clara, embora se saiba que podiam estar, ao mesmo tempo, cerca de 1600 entretidos nesses jogos d'água em que iam jogando igualmente as horas da sua vida.

Que o imperador que perpetua o nome do vestuário gaulês fosse um tirano, fratricida, – já naquele tempo com manias que parecem de hoje, como a de virar a cabeça para o lado, querendo imitar Alexandre, e fazer cara feia para assustar os contemporâneos, tudo isso já não causa admiração. Chegamos a uma era que nem os seus 20 mil condenados à morte causam grande assombro, que suas loucuras se generalizaram como fatos normais. E que um dos seus guardas o assassinasse, para encerrar a biografia, também não é um epílogo surpreendente.

Enfim, é pena que as termas não sobrevivessem, e estes painéis de mosaico ainda completos sempre servem de consolo: mesmo sob o peso de uma tirania pode a arte encontrar maneira de florescer.

Muito mais, porém, do que o imperador Caracalla com todos os seus crimes e atitudes, quem está presente aqui é o jovem poeta inglês que Severn imortalizou sentado nestas ruínas, a face na mão esquerda, o caderno aberto num dos joelhos, a pena na mão direita: a pena que ali escrevia o *Prometheus unbound*.

Toda a vida de Shelley parece um capítulo da Mitologia. Sua própria beleza física – alto, louro, leve, com grandes olhos luminosos. Suas aventuras estranhas, seus amores entrelaçados de problemas, dramas de consciência e complicações financeiras. Suas ideias tão alheias aos preconceitos contemporâneos que tinham de ser forçosamente incômodas. A estranha gente que o cercava e tecia o seu destino: esse espantoso avô a acumular riquezas para o futuro; esse pai meticuloso em assuntos de dinheiro; essa Harriet impetuosa e fria, que acabará por um suicídio quase lírico, nas águas do Serpentine; essa Mary, que escreveu o *Frankenstein*, e veio a ser a sua companheira amargurada; esse sogro com tantas dívidas e tanta vaidade; essa cunhada fantástica, alucinada por Byron, de quem teve uma triste filha que se chamou Allegra; esse amigo maravilhoso e sempre longínquo e logo desaparecido que se chamou John Keats; e esse cemitério romano que adorou, com suas flores e silêncio, e no qual deveria deixar os dois filhinhos, antes de ali ficar em cinza... Suas estranhas visões em Lerici. Suas adivinhações, em cada verso...

> *... and hear the sea*
> *Breathe over my dying brain its last monotony...*

Por esse gosto do mar, deve ter sido grande a alegria com que receberam de Gênova o barco de Byron chamado *Don Juan*. Uma pequena viagem – por um desses motivos de generosidade que tão fortemente lhe acentuavam a personalidade – fez desaparecer na bruma o extraordinário poeta de menos de trinta anos. E também isso é mitologia.

É ainda mitologia que um marujo, ao morrer, se confessasse culpado pelo abalroamento do barco, no intuito de roubar certa soma pertencente a Byron e que se julgava ali guardada.

Esse cadáver com os bolsos cheios de poemas-mitologia, finalmente, a incineração do cadáver na praia solitária, – o gesto do amigo salvando-lhe o coração da fogueira, – e desaparecido nas águas esse barco de que se tinha apagado o nome *Don Juan* e escrito o de *Ariel*.

Mitologia, o "Prometeu desencadeado", resumo lírico do que Shelley sonhara, desde menino, desde que começou a pensar na humanidade e nos problemas da sua libertação pelo espírito.

E boa parte dessa obra, – "*my best poem*", dizia Shelley, – foi composta neste cenário impressionante, onde estranhas forças parecem ainda concentradas, para alguma coisa sobrenatural que a cada instante pode acontecer.

No momento, porém, apenas alguns jovens, com seus cavaletes e blocos de papel, procuram pontos de vista favoráveis para desenhos que pretendem realizar. De longe, ficam pequeninos, em comparação com os muros corroídos, e desaparecem e reaparecem, nesta espécie de labirinto que o sol – aqui, outrora, parece que se adorou Mitra – mancha largamente de encarnado e amarelo.

Prevalece, porém, o desenho feito por Severn, o amigo de Keats: é Shelley que continuamos a ver, sentado na solidão, com a pena cheia de versos, e a alma transbordante de generosidade.

Ocorre-me, porém, pensar com melancolia que é por solidariedade de ofício que o estamos vendo. Por sabermos de sua existência, por termos vivido longas horas sobre os seus poemas, onde cada palavra tem sua auréola, e os intervalos de uma para outra são grandes abismos como o desse mar que o arrebatou.

Outros passarão por aqui e verão apenas este reino devastado, este mundo em poeira, estas medidas excessivas na altura destas paredes, na extensão destes corredores.

Acredito que muitos sentirão saudade desses velhos banhos suntuosos, desses passatempos num ambiente de luxo inigualado, e desses prazeres e vícios que hoje perduram, porém com menos pompa.

Chego a acreditar que alguns se recordam especialmente do imperador Caracalla, pois, afinal, também ele tem seus colegas.

Mas a suave figura de Shelley vence todas essas possíveis preferências. Se todos o conhecessem, todos o amariam e prefeririam às mil sugestões que a História possa impor. Na imponência do instante romano que criou estas velhas termas, o jovem poeta, na sua vida breve, realiza o milagre da sobrevivência do espírito, da imortalidade da poesia. O mais, ruínas. Grandiosas, é certo.

[1958]

Saudades futuras

Talvez este concerto, no castelo Sant'Angelo, não nos impressione, agora muito: mas dele também teremos saudades, algum dia, pelo ambiente que nos envolve, por essa impregnação do passado no presente que nos dá uma sensação de continuidade no tempo, e um sentimento de amor universal entre pessoas e coisas.

*

Talvez este velho escultor não nos comunique nenhuma novidade: mas teremos saudades de seus mármores, de seu longo exercício em procurar dar vida à pedra, imortalizar a humanidade efêmera, reconstituir a figura dos santos, ser fiel à sua noção de beleza e constante em seu ofício de arte.

*

Teremos saudades destas exposições de pintura, ainda que não guardemos na memória nenhum destes quadros: ainda que não os sintamos indispensáveis. Amaremos este momento, este encontro de tantos esforços, estas mensagens que se estendem pelas telas, sem destino certo, – algumas, sem pensamento ou linguagem certos, sequer... Mas guardaremos tudo isto em forma transcendente. Como se não o houvéssemos visto, mas apenas sonhado. Com limites suaves e secreta comunicação.

*

Teremos muita saudade destes pavimentos do Palazzo Venezia, e dos seus lustres, ainda que nos irritem agora os guardas, com seu ar burocrático e sua vigilância demasiado agressiva. Desde já os esqueceremos, para que o resto descanse docemente em nosso coração livre de sombras.

*

Certamente, os turistas dos museus do Vaticano ficarão como densa nuvem turva, na nossa recordação. Acharemos amargo que, mesmo na Semana Santa, e neste solene recinto, inesperados fantasmas levem para si, com mãos astutas, o que nos pertence: mas os homens são assim, mesmo no Vaticano, mesmo na Semana Santa – embora das mãos de certos homens possam nascer estes quadros, estas estátuas, este mundo eterno que nos comove tanto. E, pelo eterno, perdoaremos o transitório, e um dia teremos saudades de tudo, mesmo dos nossos pobres sofrimentos.

*

Ainda que nunca mais os vejamos, teremos sempre ao nosso alcance, em forma de saudade, estes amigos repentinos que há dois meses não existiam, e agora são imortais: a mão que estende livros, a que oferece violetas, a que procura uma lembrança: uma roupa folclórica, um fragmento de mosaico... E a voz que recita versos: e a que convida para o pequeno restaurante onde se come o mais famoso *saltinbocca*; a voz que descreve o Capitólio e o gesto que aponta a cidade, do alto do Janículo. Tudo isto virão a ser saudades.

*

Saudades serão os velhos amigos encontrados: saudades diferentes, com outros cenários, – com suas belas mesas iluminadas, com seus jardins de águas e estátuas, com suas sombras projetadas noutras paredes, com seus passos soando por estas ruas. E até da nossa língua, ouvida aqui, teremos saudades, por estas palavras que parecem novas e atrevidas, nesta ainda tão clássica atmosfera, por entre tantas epígrafes latinas...

*

Teremos saudades desta visitação de igrejas amortalhadas, e da voz que nos recomenda: "É preciso visitar um número ímpar..." E visitamos cinco, misturados à multidão, numa espécie de festa triste diante de altares velados. Como teremos saudades desta noite, desta fadiga, destas obrigações inventadas e cumpridas por amor!

*

De tudo isto que fala de Santa Cecília teremos saudades imensas; da sua história contada entre estas paredes cobertas de anjos; desta penumbra delicada que parece um nevoeiro dentro de sua casa; e do busto que vemos à janela que o guia aponta, e diz: "Demóstenes!" – e dos nossos olhos pela solidão, perguntando: "Que música tocaria a Santa?" e da solidão respondendo: "Nenhuma, senão a da alma..." E esta melancolia do que jamais saberemos.

*

Saudades grandes, as da agreste Via Appia, com seus túmulos e estátuas partidas, com sua poeira colada ao nosso rosto. Que partículas veem nesta poeira de tantos séculos? Se nos sentássemos aqui para recordá-los, nunca mais nos levantaríamos. De tudo que passou por este caminho agora solitário, imagens, palavras, gestos ressuscitam. E quem quer que sejamos somos um pouco de tudo isso. E de tudo teremos saudades.

[Sem título]

Tudo é como um chamado, um aviso, um apelo, um convite à aventura mágica do espírito. Apenas essa eloquência é completamente inefável: transmitida em silêncio e em segredo, como revelação ou iniciação. Incomunicável de outra forma, já que a sua natureza mística impede explicações racionalistas. O problema de De Chirico foi, talvez, encontrar a expressão do enigma e a sua legibilidade.

Há muito, há imensamente da Itália nestes quadros: mas de uma Itália que se universaliza. Os cavalos recurvos e impetuosos que neles se movem não são apenas os das bigas e quadrigas romanas, – porém mais arcaicos, com o sangue e os músculos da mitologia. E das estátuas que repousam nestas praças e nestes inesperados planos de sombra e luz, não é simplesmente a forma durável que se representa, mas, através dela, o modelo de outrora, que as inspirou, ou o seu protótipo. E tudo isto é tão verídico, tão atual, que pensamos saber em que lugar exato se encontra o ponto de partida dessa inspiração, – sentindo-o ao mesmo tempo, fora da realidade espacial, e para sempre inalcançável, a não ser em memória.

O salãozinho de De Chirico é extremamente amável, todo cercado de retratos do pintor, de alto a baixo, em ricas molduras. O artista se representa a si mesmo de mil formas, com estranhas indumentárias, e não sabemos dizer se isto é um modo de fugir pelas inúmeras portas da imaginação, ou um pretexto para se revelar nos inúmeros aspectos de sua personalidade. Às vezes, parece um jogo fácil, um jogo romântico, esta incansável representação. Mas pode parecer também um jogo trágico, se pensarmos nos muitos nomes que sentimos dentro de nós, nas varandas de séculos vários que nos contornam, nessas jaulas históricas e geográficas em que temos permissão de ilusoriamente aparecer e desaparecer.

No entanto, De Chirico – o De Chirico que se considera mais real e presente, o habitante desta casa, o autor de tantas maravilhas da pintura do nosso século – aqui está, entre os seus retratos, sem que se possa dizer sob que aspecto o encontramos mais autêntico. Fala pouco. Estende a mão quase como em pintura. Move à luz dos belos lustres grandes olhos tristes e prateados. É um homem alto, de feições melancólicas. Com uma espécie de cansaço de haver passeado entre muitas esfinges, e conhecer muitas fábulas. No entanto, uma figura inesquecível, sem nenhuma velhice, e ao mesmo tempo como envolta em muitos séculos. Toda a sua aristocrática melancolia parece concentrar-se-lhe entre os olhos e o lábio. Como simbolicamente: entre o que se vê e o que se diz. Ele mesmo personagem central de qualquer dos seus quadros: ele mesmo estátua em panorama só de solidão e silêncio, com algumas fórmulas discretas de reticente narrativa.

O De Chirico atual é um artista que venceu a própria obra. Aquelas imagens de quadros que tiveram tanta repercussão (e não apenas em pintura) foram já transpostas, excedidas, substituídas por imagens novas, de uma visão diferente. Talvez mais simples, à primeira vista, – como estes belos cachos de uvas, roxas e veludosas, que, no peitoril de uma janela, formam o primeiro plano da paisagem desenrolada ao longe. Apenas a solidão e o silêncio de sempre ainda perduram aqui, nas dimensões da distância. E não se pode dizer que a paisagem seja o conciso horizonte, e aí nos possamos deter, tranquila e definitivamente.

É do próprio De Chirico essa angústia ou esperança de voo. Essa constante partida, esse espírito de viagem metafísica. A locomotiva, o porto, a mala pousada no sentimento de adeus, o planisfério, as perspectivas sem fim, os cavalos em movimento, as bandeiras palpitantes, os mapas de anatomia (essa jornada interior), as sombras dos objetos e dos seres, tudo foi sempre, em sua obra, uma excedência aos limites naturais, – uma transcendência. Seus múltiplos retratos, nas paredes deste salão, contam a sua própria aventura, sua capacidade de desdobramento: vida poliédrica, onde o Oriente e o Ocidente se refletem, o sonho e a realidade se abraçam, o visível e o invisível se completam, o passado e o presente se unificam, a face humana procura seu espelho sobre-humano. Muitas vidas, sobre infinitas mortes.

O lustre azul é uma árvore em flor nesse alto apartamento. Sua luz tem uma cor eterna. O mestre é hoje um clássico moderno. A musa sorri, pequena e gentil. Os amigos conversam, cantam. Isto é um minuto de uma noite de Roma, na poética Piazza di Spagna.

[1958]

Tempo de regresso

Diz-se, na linguagem das tradições, que o mundo é como o olho humano: o oceano, em redor da terra, é como o branco do olho; a terra firme é a íris; Jerusalém, a pupila; e, o templo, a imagem na pupila refletida. Assim deve ser, pois que embora não exista o templo continuará para sempre a ser visto por quem se debruçar sobre Jerusalém. E de Jerusalém todos somos um pouco, segundo as mesmas tradições, se esse foi o centro da criação do mundo, e se do seu altar foi tirada a terra de que se formou o primeiro homem...

Assim vamos pensando no problema das nossas origens, ao atravessar estas verdes várzeas, ao deixar para trás o Tabor, esfumado por uma tênue chuva, ao subir para Jerusalém, o primeiro lugar que amamos em Israel, e o último em que deixaremos a nossa comovida saudade. À noite, quando as portas se fecharem, ouviremos na memória aquela canção muito antiga, em voz de agora: "Eu sou a flor do campo, a açucena dos vales..." E dormiremos com o rosto sobre aqueles versículos: "... por amor de Jerusalém eu não descansarei, até que saia o seu justo como um resplendor, e se acenda como lâmpada o seu salvador... Serás uma coroa de glória na mão do Senhor, num diadema-real na mão de Deus... Não serás chamada dali em diante a desamparada, e a tua terra não será mais chamada a deserta..."

No dia seguinte, encontraremos tudo a palpitar, em redor de nós: as vozes das crianças, perpassando nos ares, entre os pássaros; as bordadeiras iemenitas fazendo sóis de ouro em panos pretos; os estudantes atravessando com entusiasmo o *campus* de sua universidade em construção; os funcionários muito matinais resolvendo em suas mesas os dois mil anos de ausência de Israel; os professores reconstruindo o que esteve disperso; os poetas afinando suas harpas, em que há sempre uma corda que pertenceu a David.

Se estivéssemos organizando uma galeria de retratos, púnhamos logo no princípio o da sra. Kiwi, professora de musicologia, cercada de suas gravações, com uma notável documentação sobre a maneira por que cantaram a Bíblia as diferentes comunidades judaicas, em seus diferentes lugares de exílio.

Colocaríamos em seguida – e pela ordem cronológica do nosso conhecimento – o professor Olsvanger, especialista em assuntos indianos, tradutor do *Bhagavad-Gitá*, da *Divina comédia*, da *Vita nuova*, de *Platero y yo...* Comentam-se tão insignes coisas numa pequena sala, onde uma esposa amável nos vai servindo "orelhas de Aman", o doce típico do *Purim...*

Viria depois o casal Avidá, mostrando-nos o Museu de Arqueologia: seus mosaicos com peixes e pavões; suas ânforas e lâmpadas, infinitas lâmpadas, que começam por imitar simplesmente uma concha, complicando-se depois em modelagem e ornamentos; suas estátuas, vindas de Asquelon; seus velhos objetos de vidro; os brincos e o colar da moça descoberta em seu túmulo, e consumida muito antes de suas joias...; um sapato que o tempo encolheu, que pode ser de um adulto, que pode ser de uma criança, e cujo companheiro não se sabe onde ficou, nesse passo por cima dos séculos...; e uma esfinge que não esqueceremos, uma pequena esfinge recém-descoberta, com cabeça de pássaro, corpo de leão, garras, discreto busto de mulher e a pata direita pousada numa roda...

Como retrato "em grupo", colocaríamos uma página com as crianças da Baby House da Wizo (Organização Sionista Feminina Internacional), que protege por todos os meios e modos crianças que estejam com sua vida sob a ameaça de qualquer dificuldade. Num lugar de onde só se avista o céu, essas crianças parecem sob uma bênção especial. Por mais deslumbrado que se encontre o viajante, em Israel, depois do prestígio das paisagens, do entusiasmo das fazendas coletivas, dos milagres antigos e dos milagres atuais, um novo deslumbramento o espera à porta desta e de outras várias instituições encarregadas da educação da infância e da juventude: porque nem todos estamos já completamente esquecidos das amarguras da última guerra, – e estas crianças e estes jovens são como um jardim aberto sobre tristes ruínas, injustas cinzas, muitos rios de sangue.

Finalmente – e nunca seria mais adequado dizer-se *last but not least* – o professor Gershom Scholem, da Universidade de Jerusalém, especialista em estudos sobre a Cabala, e muito conhecido entre nós principalmente pela sua obra *Les grands courants de la mystique juive*. O professor Scholem é um gigante amável, por vezes um pouquinho irônico, ou pelo menos um pouquinho brincalhão, – o que fica extremamente bem numa pessoa de sua cultura, no meio de sua imensa biblioteca. Sorrir, entre muros de sabedoria, é uma virtude que nem todos alcançam. E nestes tempos nossos, tão convulsos, encontrar-se um professor que ama cada livro de suas enormes estantes com essa paixão de pensamento que pode ser igual à do coração é um consolo para quem vai dizer adeus a Jerusalém; uma alegria para quem de longe poderá recordar um sábio de presença tão humana, que, entre sua mulher e seus livros, fala das dificuldades da língua portuguesa, e procura pelas prateleiras um livro de Leite de Vasconcelos...

As horas começam a correr mais depressa do que desejaríamos. Apenas poderemos dizer: "amanhã..." porque amanhã veremos pela última vez este céu de inesquecível pureza; amanhã desceremos por esta cidade, vendo pela última vez suas pedras, suas oliveiras, suas anêmonas encarnadas, suas pequeninas flores roxas, amarelas, cor-de-rosa espalhadas pelo campo, leves e palpitantes ao vento...

"Sobre os teus muros, ó Jerusalém, pus guardas, eles se não calarão jamais, nem em todo o dia nem em toda a noite..." A noite envolve a cidade: mas é uma noite diferente. De tantas coisas incríveis sucedidas aqui, fantasmas com vozes e passos de outrora se tornam mais presentes que os próprios vivos, e com tal veemência que já não se sabe o que é sonho, memória, alucinação... "Passai, passai pelas portas, preparai a estrada ao povo, fazei plano o caminho, escolhei as pedras, e arvorai o estandarte aos povos..."

E a fria noite. E as grandes estrelas... – meu Deus! aquelas estrelas que brilharam sobre o Antigo e o Novo Testamento, nos olhos de Abraão, de Moisés, de David, na testa de cada Profeta, na boca do Cristo, nestes rios, nestes lagos, nas joias da rainha de Sabá, nas plumas brancas de Alexandre da Macedônia, nas armas dos Cruzados... Estas altas estrelas.

E a noite passará, sobrenatural, como se fosse feita só de rolos proféticos, lidos no alto do céu, por vozes límpidas. E quando o sol bater na minha janela, ainda ouvirei umas palavras finais: "Levanta-te, esclarece-te, Jerusalém, porque chegou a tua luz, e a glória do Senhor nasceu sobre ti".

[1958]

Rumo a Tel Aviv

Sei o que é tristeza e tenho visto muita gente triste: mas raramente na profunda agonia deste jovem casal que nos pediu, no *kibutz*, um lugar no automóvel, para visitar o filhinho doente, no caminho de Tel Aviv. É um casal muito jovem, do sul do Brasil. A criancinha, apenas de meses, foi acometida de pneumonia e transportada para o hospital, em estado muito grave. Vão visitá-la. Não sabem como a encontrarão. Impossível descrever a expressão destes dois rostos, de olhos ardentes, insones, subitamente envelhecidos de dor. Gostaria de dizer qualquer coisa, para consolá-los, esperançá-los, distraí-los. Qualquer palavra, porém, parece brutal, sobre tanto sofrimento. Vão como escorchados, sensíveis ao mais leve hálito do vento. O verdejante caminho não brilha a seus olhos que se diria velados por uma nuvem negra. Velocidade nenhuma corresponderia ao seu cruciante desejo de chegar imediatamente. Chegar. E ao mesmo tempo há uma crispação de dúvida. Estará viva a criança? Poderá ser salva? Para esses corações torturados, não existe o dia luminoso aberto sobre o caminho; e os laranjais que se concentram, carregados de frutas maduras, como uma estranha festa de candelabros acesos, não se refletem nos seus olhos cegos, nos seus olhos fitos num ponto invisível, por detrás das paredes de um hospital. Descem como sonâmbulos, desaparecem por uma porta, seguem ao encontro de seu assombrado amor, – enquanto o carro dá a volta, sai do pátio do hospital, retoma a estrada entre os laranjais, altos, escuros, densos, com aqueles pomos dourados, aquelas chamas redondas...

Passa-se pelo Instituto Weizmann, núcleo de sábios dedicados à pesquisa pura e aplicada: mas é apenas um gesto, indicando uma edificação, entre ramagens que a velocidade confunde. Em Israel é preciso ir mais devagar. Cada polegada de terreno tem sua importância. Mas de repente dizem Tel Aviv e já se está no belo parque de um confortável hotel, e já se está no salão muito amplo e elegante e envidraçado, e já se está numa alameda, e já se vê brilhar uma piscina, e já se alcança o apartamento tão agradável, entre as árvores, como uma pequena residência particular.

Tel Aviv é uma cidade apenas com meio século de vida – o que, para uma cidade, não chega a ser nem adolescência. Mas é uma cidade muito desenvolvida e muito europeia. Em poucas horas de automóvel pode-se ter uma ideia de suas avenidas, seu belo jardim à beira-mar, seus edifícios residenciais; uns como os nossos antigos palacetes, outros como os nossos primeiros arranha-céus; seu comércio, muito movimentado; seus cafés, seus cafés... Nunca vi tantos cafés ao longo de uma mesma avenida. E todos cheios. *Terrasses*, salões em estilo francês, e doces tão fabulosos que quem não corre já não encontra, porque logo se acabam... Primeiros ensaios de casas de moedas. Muitas sapatarias. E algumas livrarias muitíssimo interessantes.

O tráfego é intenso. Muitos automóveis. E embora seja o hebraico a língua oficial, não é difícil encontrar dois conhecidos, em alguma esquina, falando francês, alemão, inglês ou espanhol. E também se fala "ladino".

Quando eu estava ainda na Europa, disseram-me que tomasse cuidado com Tel Aviv, pois a gente é tanta e o movimento tão grande que se pode levar um empurrão e cair no mar. Ah! não é bem isso – mas como é belo o mar, aqui, como é azul este fundo do Mediterrâneo, que vem bater nestas pedras, no parapeito deste Parque Independência, com pequenas flores policromas entre as duras folhas cinzentas das cactáceas... E como se houvesse tempo – se poderia respirar com felicidade, num destes bancos, entre estas pedras, entre estas flores...

Mas há muitas coisas que ver, em Tel Aviv: além de algumas visitas especiais, uma associação de escritores; a organização denominada Histadrut, que é a Federação Geral dos Trabalhadores de Israel; o teatro, o quartel das moças-soldados (que fica num lugar próximo); – e o *Purim*, que é uma espécie de Carnaval, em que só as crianças e os adolescentes se fantasiam, – festa que vem expressamente recomendada aos judeus no livro de Ester: "A fim de que o dia catorze e o dia quinze do mês de Adar fossem para eles dias de festa, e que os celebrassem todos os anos, para sempre, com solenes honras; porque nestes dias se vingaram os judeus dos seus inimigos e o *seu luto e tristeza se mudou* em alegria e gosto, e que estes dias fossem de banquete e de regozijo, e neles mandassem uns aos outros porções das suas iguarias, e fizessem seus presentinhos aos pobres".

Ora, entre as iguarias, figura principalmente uma espécie de pastel doce, com recheio variado, de forma aproximadamente triangular, que se chama "orelhas de Aman", porque foi Aman, "filho de Amadath, da raça de Agag, inimigo e adversário dos judeus" que "formou contra eles o mau projeto de os matar e de os extinguir, e lançou sobre isto *pur*, que na nossa língua significa o mesmo que sorte". *Purim* é, pois, o plural de *pur*, sorte; e aqui me dizem que se tira a sorte com o lançamento de um pião pequeno, que bem pode ser, etimologicamente, a origem da piorra. (Mas isto é outra história.)

O hotel está em preparativos para o *Purim*. Imagino de repente, em Tel Aviv e todas as demais cidades de Israel, mãos diligentes preparando a massa, cortando-a, colocando o recheio, dobrando-a como um envelope de três pontas, assando-a, – e pensando em Ester, Mardoqueu, Assuero... (Ajudaremos a comer as tuas orelhas, Aman!)

Preparo-me para ver as ruas cheias de fantasias, – daquelas fantasias que conheci em Beer-Sheva, à luz de uma pequena vitrina: com suas tarlatanas, seus babados, seus boleros coloridos, seus fios de ouro, suas moedinhas... Também há fantasias nas vitrinas de Tel Aviv. Aqui, prepara-se um grande desfile, na avenida principal, com carros alegóricos, fantasias individuais, grupos fantasiados, até bailados. E estou pensando nas mãos diligentes que ainda rodam a máquina, enfiam agulhas, pregam fitas, botões, provam de alfinete nos dentes as roupinhas das crianças impacientes que vão celebrar uma antiquíssima festa tradicional.

A lua está mesmo quase completamente redonda e brilha no saibro do parque, o saibro que range sob os nossos passos; brilha na água da piscina, cercada de bancos vazios, porque a noite é muito fria; brilha nas vidraças dos pequenos apartamentos dispostos ao longo das alamedas deste confortável hotel.

Muita gente vai e vem, fazendo ranger este saibro, projetando suas sombras no caminho branco de luar; combinando em voz alta seus projetos de excursões, visitas, festas. Pessoas vindas de longe, que talvez já estejam em Israel para as comemorações do seu décimo aniversário...

E eu vou por aqui pensando neste povo curiosíssimo, que ao mesmo tempo festeja um acontecimento do tempo de Assuero e se prepara para celebrar o seu décimo aniversário em terra própria... Tudo tão antigo e tão recente... Esta memória, esta fidelidade... E a lua que viu Assuero, Ester, Mardoqueu e Aman, esta lua aqui por cima das nossas cabeças, por cima das árvores, num céu puro de nuvens, só de estrelas.

[1958]

Retratos e adeuses

Quando, pela manhã, o presidente do Senado, sr. Sprinzak, que me honrara com um convite para visitar a Knésset (Parlamento), me perguntava com a sua cordial vivacidade se já tinha visto as crianças de Israel, a pessoa que me acompanhava respondeu-lhe que não: que ia vê-las pouco depois, antes de partir. Na verdade, eu apenas vira as crianças que se encontram em qualquer lugar: pelas ruas de Sáfed, nos *kibutzim*, nas praias, nas aldeias, no *Purim* de Tel Aviv, entre as pedras de S. João de Acre... Crianças louras, de olhos claros; crianças morenas, de olhos pensativos, crianças que por toda parte pareciam felizes, mesmo as que encontrei convalescentes na enfermaria de uma das casas que a Wizo mantém num maravilhoso lugar onde, entre o campo e o céu, parece que o mundo está começando outra vez.

Quando saímos da *Knésset*, levaram-me a visitar um senhor que há muito tempo se ocupa dessa obra admirável de recuperação das crianças israelitas. Valeu a pena subirmos e subirmos muitos andares para encontrarmos um homem tão apaixonado pelo seu trabalho, que me conta coisas do tempo da guerra, que me fala do problema da educação em Israel, que me descreve as aldeias da juventude e, finalmente, me leva para uma visita, por essas alturas de Jerusalém onde se tem a sensação de viajar numa nuvem. Pedras, escarpas, abismos, árvores em flor, velhas oliveiras, – de repente, chegamos.

À entrada, com um ar ao mesmo tempo bíblico e moderníssimo, esperava-nos outro senhor apaixonado, pelo seu trabalho, pela obra de recuperação das crianças, pelas próprias crianças, pela sua educação e aproveitamento, pela felicidade final de Israel.

Nesse clima de entusiasmo, vamos andando por lugares encantadores, acompanhados de jovens vindos de diferentes regiões do mundo, que falam vários idiomas, e têm um sorriso brilhante, uma alegria no olhar que não podem deixar de comover aquelas que conhecemos o mundo e suas vicissitudes quando muitos deles ainda não eram nascidos. Cada jovem que fala ao nosso lado tem uma história que, se fosse narrada, talvez subitamente nos puséssemos a chorar. Estas últimas tribulações de Israel deixam a perder de vista o que se lia na Bíblia. Mas parece que agora Deus está contente com seu povo. E assim nos vão mostrando as dependências desta obra destinada à formação dos jovens, dentro de normas adequadas à sua situação, e com esse fervor pela experimentação humana que tem em Israel tão largo campo. Dormitórios, sala de jantar, cozinha, hospital, oficina de costura, de cerâmica, de carpintaria... Tudo de sumo interesse para um educador, preocupado com a formação do mundo, deste futuro mundo próximo, num tempo ainda não livre de ameaças. Quanto a mim, além dos encantos do lugar (vasto parque, árvores em flor, o ouro do sol espalhado no chão pelo movimento dos ramos)..., das agradáveis presenças (há coisa mais admirável que uma pessoa empenhada de corpo e alma no seu trabalho, principalmente quando esse trabalho é o que estamos vendo?), da alegria de ver o que esses jovens vão realizando nas suas oficinas, – o que mais me impressionou foi assistir ao seu almoço. Um grande salão, com móveis que eles mesmos fizeram, e onde se sentam, em pequenos grupos, ao redor das inúmeras mesas, e onde comem com o apetite da juventude que trabalha. Parece muito banal falar em semelhante coisa. Mas é que, por detrás dessas crianças que comiam o seu almoço, com a maior naturalidade, muitas cenas do passado desfilavam na minha memória: fomes, perseguições, prisões, campos de concentração, a vergonha desse século... E quando uma graciosa mocinha nos veio trazer o almoço, num gabinete separado, – olhando para os seus olhos, para o seu sorriso, para a sua gentileza, minha alma estava pensando em Anne Frank. E sem deixar de ser imensamente belo, tudo era para mim, num dado instante, imensamente triste.

À noite, Lea Goldberg recebe-me em sua casa. Escritora, teatróloga, professora da Universidade, tradutora, Lea Goldberg é, antes de tudo, uma criatura de poesia. Por mais que esteja perto de nós, está sempre sobrevoando. Devemos gostar dela assim: com seus olhos inquietos; sua pequena voz acostumada a um ritmo que não é o desta mísera conversação de cada dia; seu gesto de pássaro assustado; sua constante emoção.

E em redor de sua sala se vão sentando os amigos, os poetas, os colegas, – e fala-se de livros, porque, entre escritores, há sempre livros publicados ou a publicar. O professor Moshe Lazar organizou uma antologia de poetas israelenses contemporâneos traduzidos para o francês; Lea Goldberg escreveu o prefácio. Discorre-se sobre o valor da poesia na comunicabilidade dos homens e dos povos. (Ah! quantas coisas se repetem, desde sempre e até quando? – mas a função social do poeta anda mal explicada e ainda pior entendida...) E como aqui, pela simples virtude da poesia, parecemos tão próximos e compreensivos, a esta hora da noite, no alto de Jerusalém!

E em poesia nos despedimos. Poeticamente, não há distâncias, não há razão para adeuses, não há mesmo saudades. Todos continuamos presentes, no convívio do espírito, em afetuosa compreensão.

*

Deve ser assim. Mas ao olhar pela última vez para Jerusalém, no último encontro, no último aperto de mão, pareceu-me que havia saudade em mim, que era preciso olhar mais, cada árvore, cada pedra, que ficava suspenso o meu diálogo com uma voz que havia no ar, por todos os lados, e há muitos séculos, com muitas palavras inesquecíveis.

E, ao descer de Jerusalém, pensava: eu amei tudo isto, de diversas maneiras: o deserto e os campos, as montanhas e as pedras, as oliveiras, os sicômoros, os tamariscos, as terras profundas, de sal e torpor, e os píncaros iluminados e agrestes. Amei terras semeadas e invisíveis rios. Amei tanto estes ventos grandiosos! A Galileia azul e verde; a misteriosa Sáfed; a belíssima Haifa; a deserta Cesareia; o nácar de Jafa e a morena São João de Acre... Tudo isto se reclina docemente em meu coração, e se me perguntassem o que mais amei não me seria possível responder. Amei cada coisa de um modo diferente, com uma diferente espécie de amor.

E ainda que respondesse, de que serviria? Ninguém vai ver nada disso que eu vi. Ninguém vai poder modelar seu gosto sobre o meu. Não só porque vemos as coisas conforme os nossos olhos: mas porque em Israel – como em outros lugares – há muitas coisas que se amam sem ver: coisas, também, que se veem e não existem. E em Israel há um primeiro plano, que todos alcançam, mas os outros planos sucessivos – ah! e esses contrastes, e que me deixavam deslumbrada, ouvindo realmente inúmeras vozes, e vendo realmente inúmeros vultos...

Mas também o primeiro plano mudará dia a dia. O amanhã é diferente do ontem, principalmente em Israel. As árvores há pouco plantadas vão crescer muito depressa; as casas que se estão levantando vão ficar prontas num instante: os museus, as bibliotecas, as escolas, as residências, tudo isto se vai multiplicar. Os palácios, as estátuas vão sair do chão. Os mosaicos vêm à flor da terra. Agricultores e arqueólogos sorrirão felizes por suas diferentes searas. As crianças deste instante já se vão convertendo em trabalhadores, artistas, sábios... – Israel tem todas as possibilidades. Que vai fazer Israel? Do alto de Jerusalém, parece que Deus observa ainda uma vez este povo. E uma festa de esperança corre do céu à terra, ao deserto, ao mar.

Rio de Janeiro, *Diário de Notícias*, 4 de janeiro de 1959

Grutas de Ajantá

Na lua cheia de um mês de maio, seiscentos anos antes de Cristo, na cidade de Kapilavastu, lá para as bandas do Nepal, nasceu um menino que haveria de ser famoso no mundo inteiro.

Daqui, de Aurangabad, nosso pensamento desliza como uma flecha em diagonal, para o nordeste da Índia, até o lugar desse nascimento.

O menino chamou-se Siddharta, de sobrenome, Gótama. Dizem que seu pai foi o rei Suddhodana, e sua mãe a rainha Maha Maya.

A cálida manhã de Aurangabad vai embalando o nosso pensamento.

Quando esse menino nasceu, os astrólogos previram que um dia ele trocaria todas as glórias do seu reino pela sabedoria perfeita. Que seria um iluminado. Um *buddha*.

E aqui, entre as areias de Aurangabad, é agradável recordar, como num sonho, os palácios que o rei Suddhodana deu a seu filho, para retê-lo junto a si. Eram três: um para o inverno, outro para o verão, outro para a estação das chuvas. Um tinha nove andares, outro cinco, e, o último, três. Todos decorados. Cercados de jardins, com flores e fontes, pássaros pelos ares e pavões pelo chão...

Mas Siddharta, desde pequeno, se manifestou uma criatura diferente: para quem o pensamento era mais importante que as coisas do mundo.

Viajamos numa camionete sem grande conforto, – mas a estrada é ampla, a paisagem, brumosa de calor, tem um encanto particular, e os companheiros fazem tudo para que nos sintamos felizes.

Suddhodana desejou também ver seu filho feliz. Deu-lhe uma esposa, cercou-o de festas, de música, de dança, de todas as doçuras da arte.

Os companheiros olham para os relógios, e calculam que antes do meio-dia chegaremos às grutas de Ajantá.

Mas, apesar dos palácios, da esposa, das festas, mesmo do filhinho que já lhes tinha nascido, Siddharta não podia esquecer o sofrimento do mundo. Ele já tinha visto um doente, um velho, um morto e um monge. A vida era uma coisa triste.

Os companheiros procuram descrever as grutas de Ajantá e de Ellora: mas, depois do que vimos noutros lugares da Índia, sabemos que, para estes velhos monumentos, todas as palavras são insuficientes.

E, cumprindo a predição dos astrólogos, Siddharta, por amor às criaturas, e para salvá-las do sofrimento, deixou palácio, esposa, filho, riquezas, poder, prestígio, e partiu para muito longe, à procura de mestres que lhe ensinassem a sabedoria.

Nestes vastos caminhos da Índia, os séculos não são nada: levantam-se e caem como a poeira que as rodas da camionete vai abrindo pela estrada.

Siddharta, por esse tempo, ainda não tinha trinta anos. Aprendeu duras disciplinas de penitência. Não lhe pareceu que esse fosse o caminho da sabedoria. Jejuou e meditou, contritamente. Chegou a tal debilidade física, na sua devoção, que esteve a ponto de morrer. E não se convenceu de que apenas essas práticas fossem capazes de conduzir à sabedoria. Sentou-se sob uma árvore, concentrou-se e esperou que, pelas portas do pensamento, lhe chegassem a compreensão da natureza da dor, do seu mecanismo, e da maneira de vencê-la. Ele queria libertar o homem do jugo do sofrimento. E, à sombra do pipal, seu pensamento se abriu ao conhecimento perfeito. Tornou-se o previsto iluminado: o previsto *buddha*. O pipal tornou-se uma árvore sagrada, – o "fícus religioso". O mundo foi envolto por uma claridade nova: a dos ensinamentos budistas.

Quando se chega a Ajantá, não se vê nada, imediatamente. Estas grutas, aliás, foram descobertas por acaso, em 1819, por uma companhia de soldados britânicos, em manobras nesta região.

Sentado sob o pipal, com o rosto voltado para o Oriente, Siddharta recebeu a revelação de suas encarnações anteriores, da causa dos renascimentos, e do meio de extinguir os desejos. Conheceu as Quatro Verdades: a dor, a origem da dor, a libertação da dor, e o Caminho de Oito Ramos que conduz à libertação da dor.

Enquanto esperamos por outras pessoas que devem visitar as grutas conosco, lançamos um olhar à paisagem. Estamos à margem de um rio completamente seco. Dir-se-ia uma vala de barro amarelo, esboroando-se ao ardente sol. No paredão de granito que se estende perpendicularmente, ao longo deste fosso, monges budistas abriram estas grutas, que, umas, eram santuários; outras, mosteiros.

Siddharta não queria, a princípio, divulgar as revelações recebidas: quantos estariam em condições de recebê-las? e quem sabe não iriam perturbar os espíritos? – Mas o dever de quem sabe não é transmitir o Conhecimento? E cada um não aprende, apenas, segundo as suas forças? até os limites de suas possibilidades próprias? Siddharta pronunciou um discurso.

Habitações subterrâneas, como forma de defesa ou lugar de meditação, não é surpreendente que existam, desde remotos tempos. O que surpreende aqui é a maravilha arquitetônica realizada na pedra: as varandas, as colunas, as colas; é, principalmente, a maravilha arquitetônica das imagens e ornamentos, e a pintura das colunas, dos tetos e das paredes de algumas destas grutas, tão sombrias e frescas, sob este sol de fogo, ao longo deste rio sem água.

Siddharta converteu muita gente. Trouxe para os caminhos da sabedoria quase todos de sua família, e pessoas de todas as castas, pobres e ricos, sábios e rústicos. Depois de 45 anos de pregações, deitou-se à sombra de duas árvores, deu a seus discípulos todas as instruções necessárias, e, em perfeita lucidez, despediu-se e morreu. Era também no mês de maio, pela lua cheia, como na ocasião de seu nascimento. Suas últimas palavras foram: "As partes e os poderes do homem se dissolvem: mas a verdade persiste para sempre".

Estas grutas não foram construídas na mesma época. Umas, as mais antigas, são do século II antes de Cristo. As mais recentes são do VII ou VIII século da era cristã. Contemplando-as de fora, logo se pensa no Egito: pela escavação da pedra, pelo corte de certas colunas, por certas cavidades e certos relevos. Interiormente, as proporções de cada uma delas são tão equilibradas que o visitante se sente cercado de proteção e paz.

Muitos são os lugares sagrados do Budismo, na Índia: Lumbini, Bodg Gaya, Sarnath... E muitos os monumentos famosos, como o de Sanchi, os de Ellora, o Nalanda, e estes de Ajantá, onde nos encontramos.

Para se ver a decoração mural existente em algumas destas grutas, é preciso iluminá-las com projetores. Em alguns pontos, a pintura está gasta.

Há mesmo placas despegadas das paredes a dos tetos. Os tons são quase sempre de torre bruna, amarela, avermelhada, preta... Coisas que parecem etruscas, coisas que parecem chinesas... Cenas de dança, de adoração, mulheres, crianças, Siddharta, uma princesa negra, cavalos, peixes, elefantes, lótus, – composições engenhosas como a de vários animais reunidos, com uma só cabeça que pertence a todos...

Siddharta ensinou o Caminho de Oito Ramos que libera da dor: o ramo da criança correta, sem superstição nem ilusão; o da vontade correta, com fins nobres; e da linguagem correta, leal, benévola, verídica; o da ação correta, da conduta pacífica, honesta, pura; o dos meios de existência corretos, que não ofendam a nenhuma criatura; o do esforço correto, pela autoeducação e domínio de si mesmo; o da atenção correta, pela vigilância constante da memória e do espírito; o da meditação correta, que vem a ser o pensamento assíduo sobre o significado da vida.

Nesta solidão, neste silêncio, contempla-se com uma profunda emoção este gigantesco trabalho, obra de inúmeras existências. Mal se pode imaginar como foram estas pedras perfuradas, esculpidas, arranhadas, para que surgissem estas salas e corredores, estas celas, estes absides, estas colunas, estas estátuas... Cada pormenor daria para se escrever um livro. Caminhamos entre pedras ardentes. Mas a luz do sol não se compara à que jorra [dessa] figura que está ensinando um gesto da alma ou uma parábola de *buddha*.

À tarde, no hotel, os passarinhos vêm pousar entre os talheres, no espaldar das cadeiras, nos ombros dos hóspedes. Os passarinhos não têm medo. A lição de não violência, de Siddharta, é uma lição viva, nestes lugares que vimos palmilhando. Há quantos séculos a mão do homem não fere estas frágeis criaturas, para que elas venham tão confiantes comer as migalhas da nossa mesa?

Longe, longe, ficaram as grutas de Ajantá, onde apenas a noite mora, quando se apaga o crepúsculo no horizonte bordado de tamareiras.

[1959]

Vistas de Calcutá

1

A cidade é grandiosa: pelo tamanho, pelas edificações, pelo número de habitantes e de forasteiros. Todos os tipos humanos, todas as cores de pele, todas as classes sociais vão e vêm pelas ruas, por onde também circulam todas as espécies de veículos. Destes, os que mais impressionam o visitante ocidental são os riquixás, carrinhos puxados por gente. Se o riquixá está vazio, o homem caminha lentamente, numa atitude de quem restaura as forças. Mas basta que um freguês entre – e às vezes são dois ou mais – para o homem apoiar com energia as mãos nos tirantes laterais e, de braços abertos, o tronco inclinado para a frente, abrir caminho por entre a multidão, com ritmo acelerado, numa velocidade surpreendente.

2

Pelo centro da cidade, é este burburinho, este movimento humano só comparável ao de um agitado mar. Mulheres de sáris amarelos, vermelhos, alaranjados, purpurinos atravessam as ruas e praças; e o vento dilata as pregas das sedas, e a luz da tarde passa por dentro delas. Homens de branco, sérios e calmos como doutores ou sacerdotes, destacam na multidão seu claro vulto, de "tope" de algodão enterrado na cabeça à ponta recurva do calçado. A população humilde, escura, maltrapilha, esguedelhada insinua-se por entre as coloridas sedas das senhoras e os *dhotis* e xales brancos dos homens: as crianças carregam coisas: latas de esmola, embrulhos, trapos. As crianças de colo vão enganchadas no flanco das mães. Há figuras tão magras que parecem esqueletos pretos. Alguns homens, por motivo religioso, têm a cabeça e o peito cobertos de cinza. Isto é o que de repente causa certa surpresa, – pois, quanto ao mais, os pobres se parecem todos uns com os outros, em qualquer parte.

3

Uma das coisas mais famosas de Calcutá é o seu jardim botânico, tanto pela área que ocupa como pelas essências que ostenta. Aos olhos brasileiros, acostumados à identidade das cores, ao porte e profusão das árvores, não causam grande surpresa estes belos passeios sob as vastas frondes. Mas há realmente um recanto que inspira admiração, e excede tudo quanto já tínhamos visto em bosque, floresta ou parque: é o fabuloso fícus que se multiplicou em cerca de trezentas plantas, todas entrelaçadas, formando uma espécie de gruta vegetal, cujas estalactites e estalagmites seriam os troncos e as raízes que deles irrompem, e cujo teto é a massa compacta da folhagem onde a tarde escurece, aconchegada e misteriosa. Imaginemos esta gruta encantada, verde e palpitante, às diversas horas do dia e da noite, em diferentes estações: a brisa que pode aqui brincar, o vento que pode rugir, os pássaros que podem subir e descer por estes ramos, depondo aqui e ali a flor do seu gorjeio, e a chuva a gotejar de cada folha, e o luar a abrir caminho por entre estas colunas caprichosas...

4

Graças ao impulso dado ao artesanato, há frequentes exposições de indústrias artísticas, por toda a Índia, e lojas especializadas que favorecem os artífices e artistas na colocação e venda de seus produtos. Já tínhamos visto, nos arredores de Nova Delhi, salas e salas repletas de tapetes, bordados, joias, móveis esculpidos, charões, sedas, metais trabalhados – todas as modalidades das indústrias artísticas do norte do país.

Esta exposição de Calcutá, além de uma variedade imensa de sáris e panos estampados e bordados, de lenços e echarpes de seda, no gosto ocidental, mas com motivos indianos, oferece grandes mostruários de brinquedos. Cada objeto é tratado com tal delicadeza e alegria que não se compreende como podem ser destinados às mãos inábeis das crianças. Ou a criança oriental é dotada de qualidades excepcionais, que lhe permitem o uso destes brinquedos por um prazo capaz de justificar o primor da sua execução, – ou o artífice indiano é tão entranhadamente artista que só pode executar maravilhas, ainda que para terem a duração de um momento.

Os brinquedos são de madeira muito leve, recobertos de uma pasta como de gesso, à qual é aplicada a pintura, que tem o aspecto fosco das tintas de guache. Também há alguns diretamente pintados sobre a madeira. Em muitos casos, a pintura é de tinta brilhante, como as dos objetos de charão.

Quanto às formas, há uma variedade imensa de bonecas, reduzidas a um contorno oval, com os pormenores do corpo apenas pintados, o que, naturalmente, as torna mais duráveis, evitando fraturas de articulações. Além das bonecas propriamente ditas, há as "figurinhas" que representam homens e mulheres nas suas diferentes atividades: tocando tambor, carregando água, leite, baús, socando pilão... – tudo isso com a representação minuciosa das roupas, das joias, até dos sinais de casta. E não falta o bom humor, nos ingleses ruivos, com todos os bolsos desenhados nas roupas e chapéu branco de tiras encarnadas. Mas talvez os brinquedos mais encantadores – não sei se para as crianças, mas para os visitantes estrangeiros – sejam os bichos aqui apresentados. O papagaio, que figura em tantas histórias do Oriente, aqui está, quase em tamanho natural, com todas as penas desenhadas, os redondos olhos salientes, o bico entreaberto, a ponto de falar. A vaca – animal sagrado – destaca-se entre os demais brinquedos pela riqueza decorativa dos seus pingentes e colares, da manta que lhe cobre as costas, da pintura das orelhas, dos chifres, do focinho e das patas. Branco, preto, amarelo, azul, vermelho, verde, – listas, riscos, salpicos, barras, discos, a boa vaquinha amamenta o bezerro com uma profunda ternura nos olhos, prolongados como os das belas mulheres indianas, e aos quais não falta o suave traço das sobrancelhas.

Além dos brinquedos de madeira – e há muitos outros, impossíveis de descrever – há bonecas de pano, com olhos de miçanga, joias no nariz, nos braços, nos dedos e nos pés, sári orlado de prata, – um objeto de arte feito de uns pedaços de pano, meia dúzia de contas e um bocado de fios metálicos.

5

Mas a noite cai sobre Calcutá, e as luzes brilham nos edifícios, nas lojas, nos salões dos hotéis, e nos seus sucessivos mostruários, onde tudo se pode ver – lacas, marfins, sedas, metais trabalhados, objetos de sândalo, sandálias douradas, jades, brocados de ouro e prata, joias de mil pedras diferentes... E é diante desses mostruários que se sente como a China está perto, por uma ou outra peça que brilha, entre tantas coisas indianas.

Também há restaurante chinês no hotel, com palitos de marfim, sopa de barbatana de tubarão, mil pratinhos de legumes e porcelana de chá verde, para rematar.

Sobre o meu amor por estas coisas que me rodeiam, passam grandes advertências sinistras: há todos os perigos – varíola, cólera, tifo... Doentes por toda parte... Mendigos sem fim... E a deusa Kali no seu templo, à espera de animais sacrificados... E o crematório, com os cadáveres a arderem nas piras, entre flores amarelas e fórmulas religiosas entoadas pelos parentes do morto e os ministros do culto...

O amor é um transbordamento de alma, sem limites nem lógica. O amor entende tudo, e sente na sua própria força defesa para todas as adversidades. Quem ama – seja uma criatura, seja um objeto, seja um país – não acredita em nada que possa diminuir o seu amor. Os verdadeiros amorosos não precisam nem ser correspondidos, pois o amor não tem nem essa mínima finalidade. Os verdadeiros amorosos não passam pelo mundo com os mesmos pés das outras criaturas: são aéreos, levitam como os sonâmbulos, pousam entre a varanda e a lua, caminham por escadas de nuvens.

6

Um egípcio conta-me coisas folclóricas de sua terra. A aia leva as crianças para dormir: é uma mulher silenciosa, de traços mongóis. Talvez seja do Nepal. Os copos de uísque pousam em pratinhos dourados, com finos desenhos e esmaltes de cores. Amanhã comprarei um livro para estudar bengali.

[1959]

Amanhece em Calcutá

Acordo com o planger de uma voz de homem que prolonga suas frases nostálgicas, onduladas, moduladas, como um longo estandarte desenrolado ao vento. Não sei se posso dizer que fala ou canta. É uma voz bem timbrada, cheia de emoção, a destacar-se no silêncio da madrugada exatamente como as inscrições estendidas pelas arquitraves das edificações muçulmanas. Também, com tristeza, não a posso entender, por mais que a escute; como, de outras vezes, não conseguia ler, por mais que contemplasse. Feliz foi o Profeta (a paz seja com ele), que também o anjo Gabriel lhe mostrou a palavra de Deus escrita, e lhe disse: "Lê!" e ele responde: "Não posso!" – mas o anjo leu: "Deus é generoso, pois ensinou ao homem a servir-se da pena, ensinou ao homem o que ele não sabia". E desapareceu.

Eu não esperava que um anjo me aparecesse: bastava-me descobrir se aquela voz era de algum muezim. Abri a janela. O dia ainda era incolor. A voz, porém, tinha uma claridade e um relevo dramático que me emocionavam. Talvez houvesse uma mesquita próxima? O hotel ficava numa encruzilhada. E uma das esquinas não me era possível avistar. Resignei-me a ouvir, a ver o dia amanhecer sob aquela voz, como se fosse trazido por ela da sombra da noite, arrancado ao abismo do sono, salvo do esquecimento e da escuridão.

Na minha frente, o jardim cercado de grades de um palácio, – provavelmente um edifício público. Mal se veem as cores dos canteiros. No entanto, são flores imensas, amarelas e vermelhas. Encostadas às grades, pequenos grupos humanos, muito enrolados em panos cinzentos, velhos e desbotados. Começam a despertar. Senta-se um vulto. Toma nos braços uma criancinha. Muita gente dorme assim pelas ruas. Há o problema da miséria, o problema dos refugiados (em consequência da separação do Paquistão), e também o gosto peculiar dos indianos pela natureza – pois vi, em Bombaim, gente que, à noite, punha a cama na calçada, para dormir. (Questão de clima.)

Também do outro lado, em diagonal com o hotel, há um enorme edifício, de vários andares, sob cujas arcadas começo a distinguir muita gente adormecida. A cor das roupas confundidas com a do chão. E tudo estava tão imóvel! Mas a grande voz passa pelas ruas, desce dos telhados, repercute no asfalto: pede, implora, celebra, exorta... E aqueles que dormiam começam a despertar.

As ruas ainda estão sem movimento. Agora, aparecem uns homens com cestos vazios. Na esquina do jardim, junto à grade, há um cano d'água com uma torneira, e ao lado, um balde e um pequeno vaso de metal, com asa. Chega um homem, movimenta uma alavanca, enche o balde. Chega outro homem, conversa com ele, começa a tomar banho. Com o vaso de metal, despeja água pela cabeça, esfrega o cabelo, limpa todas as cavidades – boca, nariz, ouvidos, – despeja mais água, esfrega-se bem; lava o pescoço e os braços, o peito e as costas – tudo isso sem se despir, na verdade, porque a sua roupa é apenas um pano enrolado nos quadris. Um outro pano que ele traz já foi lavado ali mesmo, e com duas sacudidelas no ar já deve estar seco. Então, o banho continua, da cintura para baixo. A água passa por dentro da tanga, escorre pelas pernas, vai para os pés, desce pela sarjeta. O banho termina. O homem toma o pano limpo, enrola-o na cintura, deixa cair o que antes trazia, lava-o com todo o cuidado, sacode-o, põe-no aos ombros, como echarpe, penteia os cabelos, – e vai trabalhar. É um puxador de riquixá. Seu carrinho ficou por ali perto, à sua espera.

Enquanto o homem tomava banho, um vulto feminino, em sári branco de orla azul, passa pela encruzilhada, vai de pobre em pobre, a distribuir qualquer coisa. Fala com eles. E o silêncio ainda é tão grande que, se eu soubesse o seu idioma, poderia entender o que estão conversando.

Aquela gente que dormia já está sentada ou de pé. As mães abraçam ternamente os filhinhos, passam-nos para os outros parentes. A ternura é ainda maior que a miséria. Agora vejo pedaços de esteiras estendidos ou colocados como biombos, tapumes, toldos. Bem no meio da rua, há um pobre sentado, só de tanga, com o cabelo crescido, e a barba hirsuta. É tão magro que parece um esqueleto negro. Pode ser um penitente. Muda de posição. Recosta-se, apoia a cabeça no braço. De vez em quando, estende na mão uma caneca, para que lhe deitem algum dinheiro. Pode ser um enfermo, um antigo pária.

Chegam agora os vendedores ambulantes de grãos e frutas. Estes grãos amarelos me intrigam muito. Serão tremoços? favas? feijões? (A minha maior provação é andar entre estas coisas – como pelos bazares – e querer sentir o gosto de todas as comidas, e ouvir avisos mais dramáticos que os do muezim – "olhe as febres, a peste, a cólera, o tifo, os pântanos, as vacinas...") Os grãos amarelos encantam-se. Parecem grãos de ouro. E há cestos e cestos cheios... E todos compram, comem, vão andando...

Na esquina, os banhos continuam.

Assoma o primeiro automóvel. Depois, passam bicicletas. Vêm homens a pé, carregando legumes em fardos de aniagem. Movimentam-se os riquixás.

Até agora esteve plangendo aquela voz que vem não sei de onde. (Provavelmente, do céu.) E atravessa a encruzilhada um carregador com um tabuleiro de comidas amarelas e cor-de-rosa.

O sol já apareceu. Um sol quente, que obriga os mendigos a procurarem refúgios de sombra. Na outra esquina, sentou-se um homem para que lhe façam a barba. Tudo é assim, ao ar livre, entre passantes ocidentais e orientais e pregões que recordam imensamente velhas vozes de rua do Brasil.

O ritmo começa a mudar. Tudo é mais acelerado. Soam as campainhas dos carros, as buzinas dos automóveis e dos caminhões. Há uns carrinhos de mão feitos só de bambu. Circulam vendedores de flores artificiais. Vibram motocicletas.

Desfilam meninas de colégio. Cerca de uma centena, duas a duas, de sári branco com barra vermelha, ou de vestido branco, à europeia. Todas de trança pelas costas.

A rua foi-se enchendo, e agora há vacas, bezerros, carrinhos de mão, automóveis, crianças que brincam, sáris, vestidos, calças ocidentais e gorros muçulmanos... (Passam mais meninas, de branco, com laços azuis e cor-de-rosa no cabelo, duas a duas, numa longa fila, – talvez duzentas.)

Mais meninas. Alguns meninos. Que será? Festa? Data cívica ou religiosa? Sons de sinos, campainhas, rodas, vozes. Cestos de pão. Verduras. Caminhão de carvão. Carregadores de água com baldes pendurados nas duas extremidades de um pau pousado no cangote.

O mendigo magro, que parece um faquir, olha para tudo isso, do quadrado da sua esteira, e estende ora um braço, ora uma perna, muito feliz com o sol.

Todos os veículos giram agora pela encruzilhada. No meio dessa confusão, há uns homens que carregam quartos de carneiro assado, outro que vende utensílios de lata, rapazes ocidentais muito limpos, em suas bicicletas reluzentes, senhores orientais, também muito limpos, em seus vestidos brancos, vendedores de bétel, padres protestantes, um carrinho de mão cheio de barris e um caminhão com garrafas de refrigerantes, que, pela cor, devem ser laranjadas e groselhas...

Armou-se uma briga com uma pobre mulher que aponta para o vendedor de utensílios de lata e implora o testemunho de todos os passantes. As pessoas param, ouvem, dão a sua opinião, a mulher continua muito zangada, o vendedor está um pouco perplexo, e o sol e as crianças brincam, felicíssimos, com as panelas, frigideiras, bacias e funis que o homem traz amontoados num pau.

Se o muezim cantasse agora, creio que não o ouviria, tão ruidosa se fez a rua. Já não vejo mais fregueses para o banho; apenas, alguns meninos que brincam com a água que escorre pela calçada. Mas a freguesia do barbeiro ainda não se acabou.

Também eu vou descer por essas ruas, mergulhar nesse movimento, participar da onda humana que vai e vem por esta "cidade de palácios", viver um dia da minha vida entre estas vidas, a este sol, sob este céu.

Dez horas da manhã. Vi Calcutá despertar, muda e incolor como um pequeno botão na haste do tempo. Agora parece uma romã, amadurecida e partida, com bagos de mil cores rolando por todos os lados.

[1959]

Transparência de Calcutá

Diz este livro, que aplicadamente estive lendo, ser a língua bengali a mais importante da Índia, depois do hindustani (hindi ou urdu). É falada por cerca de 49 milhões de pessoas, e dos modernos idiomas do país é o que possui mais vasta e original literatura.

Na verdade, é o idioma em que escreveram – para não citar outros – o poeta Rabindranath Tagore e o romancista Saratchandra Chatterji. Mas escrever não é o mais importante: foi o idioma em que pensaram, com que viveram. E isso é o que principalmente me seduz no estudo de um idioma: senti-lo interiormente, na história de cada vocábulo, nas sugestões que dele se desencadeiam, na sua força emocional, na sua ressonância e no seu eco. Ler, afinal, é um ato muito mais profundo do que conhecer letras, juntá-las em palavras, e as palavras em frases...

Escrevo Rabindranath Tagore e Saratchandra Chatterji, e ponho-me a recordar os meus primeiros encontros com a Índia, nossos tempos da adolescência em que todos somos tão generosos e desejamos organizar – sem sabermos como – não a nossa, mas a felicidade universal. Tempos em que tantas traduções de orientalistas famosos trouxeram ao Ocidente a notícia de um mundo que,

192 ✦ Cecília Meireles

literariamente, começara a existir, para nós, apenas a partir do século XVIII. O prêmio Nobel conferido ao grande poeta bengali despertava a curiosidade por esse mundo tão altamente espiritualizado, o que parecia uma nova forma de esperança, depois de tantos desastres de guerra, tantas incompreensões humanas e tão evidentes ameaças de decadência moral. Tudo que vinha desse mundo era sedutor: a filosofia e suas interpretações; a revelação religiosa do povo; a tendência mística da sua poesia; o folclore, que nos revelava, em formas arcaicas, lendas, histórias, brinquedos que eram também os nossos diversamente apresentados...

Logo depois, surgia a figura de Gandhi: tempos da "Jovem Índia", com famosos artigos que remotamente iriam preparando a independência do povo na campanha da não violência e da não cooperação com o mal; esse discurso de buscar a verdade e caminhar para ela com fé e respeito, exatamente como quem busca Deus. Tempos em que se voltava a confiar na espécie humana, na sua possibilidade de ser, com algum esforço, alguma coisa mais do que ela se deixa ser pela simples facilidade da inércia, pela conivência com o transitório, pela transigência com o mal.

Ao relembrar essas coisas, tão longínquas, sinto a minha dívida para com a Índia. Dívida que é a de muitos ocidentais que tenho encontrado agora nestes caminhos, aonde vieram ter para se identificarem mais com uma pátria que sentiram ser a do seu espírito. Já falei com franceses, belgas, italianos, ingleses que não estão aqui por assuntos materiais, mas por interesses de alma; e vão passar aqui o resto da vida, estudando, procurando entender o que somos, o que fazemos, realizando a sua formação interior, e explicando aos demais o processo, as conclusões, a importância desse trabalho especulativo. Há também os artistas, maravilhados com certos descobrimentos que vêm despojar a arte de todas as aparências fúteis, de toda a vaidade de um artesanato apenas hábil, e mostrar o íntimo segredo da sua beleza e duração.

Não vim como essas felizes criaturas, nem ficarei aqui definitivamente. Na verdade, já me parece demasiado ter vindo. O mundo é pequeno para os encontros, mas longo para as viagens. O destino, porém, continua velado aos nossos olhos. E aqui em Calcutá, neste momento, posso também sentir como é secreta, a nossa vida, e curto, o alcance dos nossos desejos.

Pois, se algum dia me tivesse ocorrido chegar a este país, a primeira coisa a que me conduziriam os meus desejos seria, naturalmente, a Universidade de Shantiniketan. Ela era – e continua a ser – como um símbolo, no meu coração.

Fundada por um poeta – e um poeta que se chamou Tagore! – no princípio deste século, – que havia de ser tão atordoante, – e sonhando realizar o "sítio de paz" que o seu nome exprime, por meio de uma educação integral, intelectual, moral, artística, ao mesmo tempo ligada ao glorioso passado da Índia, à humildade contemporânea e a um futuro que se poderia sonhar fraternal, – tudo, nessa instituição, me chamava: origem, métodos, objetivos. (Embora com resultados constantemente melancólicos, a minha vocação profunda foi sempre uma: educar.)

No entanto, aqui, a umas noventa milhas dessa universidade, por obediência a um plano de viagem que é preciso cumprir, não a poderei ver: continuarei a guardá-la na imaginação, com suas árvores, seu ensino ao ar livre, sua preocupação de dar aos estudantes uma correta formação interior, e meios de exprimi-la. Shantiniketan continuará a ser um lugar lírico, com música, dança, poesia, festas populares, tecelagem, pintura, – ciência, filosofia, num ambiente bucólico, com as aldeias em redor, as cestas de frutas, os jarros de leite, – a vida antiga enriquecendo a atual, e a vida atual enriquecendo a antiga... Não verei Shantiniketan. Assim é o nosso destino: recebemos o que jamais esperamos; não conseguimos o que às vezes pretendemos.

Quando poderia pensar em viver esta tarde em plena Calcutá, debruçada sobre um livro de bengali? – E acabo de aprender que esse idioma tem duas formas: uma, nobre, erudita, literária, nunca usada na conversação, – *sadhu--bhasha*; outra, coloquial, popular, mas que também já vai sendo usada literariamente, – o *chalit-bhasha*. Percorri o vocabulário. Aprender palavras não é nada: e o que consegui conhecer de hindi, pelo caminho, ajuda muito, nestas novas aquisições. Mas o que me interessa, diante de um idioma, não é nem sequer poder usá-lo, – é muito mais... É andar por dentro dele como o fio por dentro das pérolas.

Levantei-me para acender a luz, e vi a cidade pela janela. (Onde está o faquir com a sua esteira? Que foi feito da voz do muezim? Para onde foram os barbeiros, os vendedores, os pobres que vi despertarem à primeira luz branca do dia?) Não haveria lugar para eles, agora, neste imenso tumulto, com os riquixás a rodarem vertiginosamente, os táxis, as motocicletas, os cavalos, os homens de turbante, as mulheres de sári, as roupas ocidentais, sombrias e mesquinhas, em confronto com a linha e a cor dos vestuários da Índia.

Na porta de uma loja, brilha uma placa luminosa, vermelha e azul, apenas com esta palavra, colocada verticalmente: MINERVA. E tenho de repente a impressão de estar no Brasil. Sai da loja um velhinho com cinco crianças pela mão, agarradas umas às outras. Logo se confunde, na multidão. E sobe um rumor confuso. Imagino que alguém estará falando, como na conversação turística dos compêndios: "*Ekhano gari milbo?*" "*Dan-dike!*" "*Amra rat [attay] khabo*".[2] Mas, com o ruído da fala humana, chegam os sons variados das campainhas, das buzinas, das rodas... Apenas, entre tanta coisa mesclada e ininteligível, um chorinho de criança faz-se ouvir, dolorido e nítido, embora nítido. Única expressão que verdadeiramente compreendemos em qualquer lugar do mundo.

E a multidão, que agora é quase toda masculina – avisto apenas dois ou três sáris, e alguns vultos ocidentais sentados nos carrinhos em movimento, – passa, avança, desaparece... Este contínuo suceder, visto de uma janela, é como um retrato do mundo efêmero. Para onde vão estes passos? Por quê? A que conduz este incessante caminhar? A que ordem obedece este movimento sem fim?

O elevador está cheio de senhoras europeias, elegantíssimas, que descem para o salão de jantar. Estes decotes, estas joias refletem-se em olhos que hoje viram tanta coisa diferente – lojas suntuosas e ruas escuras de poeira; cenas de mercado; condutores de carroças; a fumaça dos cadáveres cremados; os quadros de Tagore na Biblioteca Nacional, tão límpida e nobre; os pobres embrulhados em trapos cinzentos; o meu faquir negro e seco como um galho de árvore; e Victoria Memorial, com sua arquitetura branca e redonda, tal qual uma nuvem pousada num parque; e o templo de Kali, com seus colares de flores e estampas coloridas, no muro da entrada, entre muitos fiéis aglomerados; com a imagem da deusa (de aspecto terrível) iluminada por altas chamas, e o povo a comprimir-se, como magnetizado, na sua adoração. Estes olhos viram o lugar do sacrifício dos animais, – o que resta de antigos holocaustos. Viram os enfermos; os miseráveis além de toda miséria concebível...

No entanto, há na Índia uma pobreza voluntária que explica muitas coisas. Lembro-me de Ramakrishna, que viveu em Calcutá, embebido em misticismo, desprezando todas as comodidades do mundo, e de seu discípulo Vivekananda que, também aqui, recebeu um estrangeiro com estas palavras: "Sou o homem mais pobre do país mais pobre do mundo..."

Calcutá fica nos meus olhos como a cidade mais prodigiosa da Índia que visitei até agora. A mais hindu, por enquanto. Ficou para trás o passado mogol,

---

2 Em bengali, segundo o compêndio: "Posso arranjar uma condução?" "Vire à direita." "Vamos jantar às 8 horas".

com suas maravilhas imobilizadas. Calcutá é o passado, o presente e o futuro, num turbilhão. O belo e o terrível, o suntuoso e o miserável, todas as esperanças de vida como todas as sombras da morte crescem deste chão úmido. Não creio que ninguém consiga ficar indiferente ao choque desta cidade. Como se a torrente do tempo, precipitada em cascata, mostrasse e escondesse a todo instante essa pedra da eternidade sobre a qual desliza o que, com alegria ou dor, todos avistam, sem saber...

[1959]

Domingo em Cuttack

Quem agora passar pela estação de Howrah, para tomar o trem que conduz de Bengala a Orissa, poderá ter uma súbita sensação de espanto, medo e pena. O problema dos refugiados do Paquistão converteu o local numa espécie de albergue, num *sarai*, como as antigas pousadas das caravanas. Uma verdadeira multidão se abriga por onde pode, e há os que já estão deitados, enrolados em seus panos como as múmias em suas faixas; e há os que conversam acocorados, como é uso em toda a Índia; e os turbulentos, que falam, gesticulam, riem, correm, – como existem em todo o mundo.

O espanto vem das proporções da aglomeração. O medo, da impossibilidade de compreender toda essa gente que fala em diferentes idiomas, com uma expressão a que não se está acostumado. A pena é consequência desse espanto e desse medo: pois, de repente, nos ocorre o número enorme dos habitantes deste país, os seus infinitos problemas, a sua história – verdadeiramente heroica, feita de sucessivas lutas contra diferentes cativeiros – e o contraste do seu valor intelectual e moral com as circunstâncias físicas e materiais que ainda o oprimem.

Todas essas confusões ferroviárias – bagagens, bilhetes, vagões – aumentam aqui, de cambulhada com turbantes e sáris, *dhotis*, embrulhos, barbas, crianças, caras de todas as cores, gritos de todos os idiomas, a pressa do Ocidente e a calma dos orientais.

Mas a cabine, perfeitamente limpa e confortável, oferece absoluto sossego e segurança, por mais que os forasteiros sempre imaginem perigos inacreditáveis, desde que transpõem o canal de Suez... Pode-se dormir serenamente, – sem assaltos de bandoleiros, sem descarrilamentos, sem tigres, cobras ou leões que entrem pelas janelas, enquanto a locomotiva corta a noite, em direção a Cuttack, antiga capital mogol, na província de Orissa.

*

Partimos ontem, às nove da noite, deixando para trás a fabulosa cidade de Calcutá, e às cinco da manhã, desta manhã de domingo, muito nebulosa e fresca, batem à janela do trem, e chamam pelo nosso nome.

Ainda não entendemos a paisagem: tudo é bruma, perfume matinal, – e esse ar de mistério que têm as coisas e as pessoas quando começam a sair da escuridão da noite para a claridade do dia. Ainda meio adormecidos caminhamos, ainda meio adormecidos chegamos à *guest house* em que nos alojaremos até amanhã. Viemos apenas ver um pouco do passado, nos templos de Puri, e um pouco do presente (e do futuro) numa estação agronômica dedicada a experiências de cultura do arroz. Orissa é uma região muito importante, na produção dessa gramínea; que, por sua vez, é base da alimentação indiana.

Ainda há três coisas que me interessam profundamente aqui – embora o arroz-doce, o arroz coberto de folhas delgadas de prata, o arroz misturado a cravo, canela, amêndoas, o arroz de caril, o pilau, tudo, enfim, quanto se refere a arroz, no Oriente ou no Ocidente, mereça toda a minha simpatia. Essas três coisas são: as cartas de jogar, a filigrana e o carro de Jagganath.

As cartas de jogar (embora eu não saiba nem jogar nem ler a sorte) interessam-me, em Orissa, apenas porque ouvi dizer que são redondas, e extremamente decorativas, com figuras de flores, frutas, barcos, príncipes montados em cavalos e elefantes, imagens de deuses. Parece que, na Idade Média, havia um jogo relativo às dez encarnações de Vishnu (por onde se vê como até no passatempo se insinua, na Índia, a ideia religiosa). Não sei se cartas como essas ainda existem. E infelizmente é domingo, e teremos de partir amanhã...

A filigrana, todos me dizem também que é trabalhada aqui como em nenhum outro lugar do mundo. Talvez algum amigo caridoso me possa mostrar algumas que possua...

E o carro de Jagganath está mais adiante, nos templos de Puri, – e é o carro sob cujas rodas, outrora, se atiravam os fiéis, a fim de que, esmagados pela procissão religiosa, pudessem merecer a graça de uma nova encarnação mais feliz.

*

Até agora, só tinha visto, na Índia, pavões, elefantes, camelos, vários passarinhos, e, num palácio de Nova Delhi, um gracioso animal do Cachemir, semelhante a um grande urso de brinquedo. Muitos corvos, também. E conhecia a voz dos chacais. Cobras, leões e tigres nunca me apareceram. Mas hoje travei conhecimento com os mosquitos.

Na verdade, aquela bruma da madrugada começou a ficar um pouco estranha, mesmo para uns olhos ainda mal acordados. Era uma bruma que se podia tocar com as mãos. Era um véu de asas minúsculas, mais agradáveis de descrever que de sentir. Podíamos afastá-lo como quem afasta uma cortina de tule. Que profusão de mosquitos! Mosquitos nas pontas dos dedos, nas solas dos pés, na raiz dos cabelos, – uns espantosos mosquitos que nos obrigam a viver debaixo de cortinados, e mesmo assim com pouca segurança, porque as camas de Orissa não têm colchão, mas apenas cadarços cruzados. (Camas de clima quente, admirável solução para as noites de canícula, mas que prejudicam todo o serviço dos mosquiteiros, pois desgraçadamente, por onde entram as brisas, entram os mosquitos, também...)

*

Além dos mosquitos, vimos o arroz, que era muito, de muitas variedades, cada uma para a sua utilização. Máquinas modernas. Doutores em agronomia explicando suas realizações em pesquisas e conquistas científicas. Campos cultivados, trabalhadores, jardins, um sol muito lindo, que já devolvera para a região das sombras os mosquitos que, em densas nuvens, tinham descido sobre nós, de madrugada.

Uma família extremamente amável, dessas famílias indianas de que guardarei sincera saudade, mostrou-me algumas filigranas: joias, caixas, flores, arabescos. Ponho-me a pensar que as filigranas são também objetos de clima quente, como as persianas de mármore rendado, as grades das varandas, e, num plano mais modesto, o estrado de cadarços trançados destas camas de verão. Na Índia, o ar é um elemento que faz parte da arquitetura, da música, da palavra... (Enfim, perguntai a um iogue o que é o ar, e como ele o dirige pelo pensamento, por dentro dos seus músculos e dos seus ossos...)

*

Quanto às cartas de jogar, só tive informações muito vagas. Parece mesmo que só existiram na Idade Média, e agora só podem ser encontradas nos museus.

Mas vi um rapaz apanhar coco, as mãos agarradas ao coqueiro, os pés metidos numa pulseira de corda que lhe permitia um ritmo rápido e seguro na ascensão. Vi comer coco-verde e beber água de coco exatamente como se estivesse no norte do Brasil.

*

E vi os templos de Puri! A tarde, toda vermelha, nas águas do golfo de Bengala. "*Samudra!*" dizia-me o motorista apontando-me para o mar. "*Súria!*" exclamava, sorridente, a apontar para o sol. Os pescadores com seus barcos e suas redes recortavam-se em negro sobre o horizonte escarlate. Um reflexo de fogo coloria as areias. Imensa, a praia. Um silêncio enorme. Os pescadores seminus, entretidos na sua ocupação, tão longe, tão longe... Apenas como um desenho.

*

A minha esperança era o carro de Jagganath. E assim atravessávamos as ruas humildes, com suas cabanas cobertas de palha (frescas no verão, abrigadas, no inverno), seus muros cheios de desenhos ingênuos, com os vizinhos em conversa, as crianças em brinquedos, nesse ambiente de família humana intimamente unida, que sempre me sugerem as aldeias indianas.

[1959]

Domingo em Puri

Ainda é o mesmo domingo, e estamos em Puri, onde, se não conseguir ver os carros de Jagganath, visitarei, pelo menos, seu templo, dos mais famosos da Índia, e mesmo de Orissa, embora esta região seja notável pelos seus monumentos arquitetônicos.

Não sei se é a proximidade do mar que empresta a Puri uma atmosfera especial, estimulante e festiva. As ruas que conduzem ao centro da cidade – e o centro da cidade é o grande templo, a Pagoda Branca de Jagganath – estão cheias de gente: os indianos são criaturas de ar livre, de árvores, de rios, e a flora e a fauna formam a moldura da sua vida, como nas miniaturas, nas esculturas, nos poemas, nos bordados, em que o mundo entrelaça todos os seus aspectos naturais.

Há, pois, muita gente, pelas ruas pobres, sem calçamento, extremamente pitorescas, com suas casas cobertas de palha (dizem-me que essas coberturas refrescam, no verão, e aquecem, no inverno); roupas coloridas brilhando sobre a tonalidade neutra do fundo, cor de argila seca; muitas, muitas crianças, – estas crianças da Índia que me parecem as únicas crianças realmente infantis do mundo; muitos velhos, velhíssimos; alguns aleijados; moças bonitas, de cabelos lustrosos; rapazes barulhentos, que riem e discutem – como é próprio de rapazes – em algum dialeto local, ou em alguma destas línguas dravídicas – tâmil? telugu? – que começam a aparecer, à medida que caminhamos para o sul; e as belas mulheres maternais, com os filhinhos escarranchados na cintura, silenciosas e suaves, mergulhadas numa profunda conversação interior.

Não é apenas a multidão que concorre para esse ar festivo de Puri. Há também as decorações murais. Pelas paredes das casas, pelos muros do caminho, alastram-se ingênuos desenhos coloridos que representam flores, elefantes, árvores, e umas torres interpretadas muito modernisticamente, e que devem ser a reprodução das torres de Jagganath.

Porque Jagganath domina tudo. Aliás, assim deve ser, uma vez que esse nome sânscrito significa "Senhor do Universo". Como Senhor do Universo, Jagganath sabe tudo, penetra tudo, e dizem que permite o acesso a seu templo a quantos o queiram visitar, seja qual for a religião que professem.

A peregrinação a Jagganath é imensa. Imensa e constante. Em Puri, segundo me explicam, há festas religiosas todos os meses, – pequenas festas com cerimônias curiosas: os fiéis dão banho nas imagens, balançam-nas em balouços, vestem-nas, oferecem-lhes iguarias, especiais – um tesouro folclórico perenemente vivo, nestas areias da baía de Bengala... Mas a grande festa é a *Ratha Jatra*, que se realiza entre junho e julho, com a célebre procissão dos carros, cujos ecos repercutem até o Ocidente.

Os carros são enormes, de uns quinze metros de altura, com rodas de uns dois metros de diâmetro. Sob essas rodas é que alguns viajantes afirmam terem visto os devotos estenderem-se, para, com o seu sacrifício, obterem uma reencarnação mais feliz. Outros dizem, porém, serem tais atropelamentos meramente ocasionais, dada a multidão que se precipita para os carros, a fim de tocá-los ou puxá-los, – e que sendo Jagganath uma encarnação de Vishnu – aspecto criativo e não destrutivo da divindade, – um sacrifício dessa espécie poluiria o recinto sagrado. A Índia é essencialmente fabulosa: pode ser vista e interpretada de mil maneiras. Quanto a mim, desejava apenas contemplar os carros, e foi assim que chegamos à praça defronte ao templo.

Aqui há altas casas, estas casas indianas de muitos andares, muitas varandas, que nos parecem tão familiares, e onde se vê tanta gente reunida a conversar e a contemplar. O rumor de todas essas conversas das casas e da rua zune pelo ar como um enxame. (O guia foi parlamentar com alguém – parece que o guarda do templo – para ver se me podem mostrar os carros, ou se posso subir não sei a que plataforma, de onde conseguirei avistar não sei se os carros ou outras coisas.)

Aproximam-se de nós as pessoas que estão pela praça. Não devem ter nenhuma curiosidade. Que curiosidade pode ter um habitante da Índia, que conhece todas as maneiras de vestir, de falar, todas as cores da pele, todas as possibilidades de pensamento da criatura humana? Aproximam-se mansamente. E é como em tempos bíblicos. Os anciãos: ali vêm os anciãos de barba branca e olhos desbotados com seus mantos deitados para o ombro; os profetas: ali vêm os profetas, seminus, com os cabelos compridos, hirsutos, revoltos, cobertos de cinza; as mulheres: ali vêm as mulheres, muito bem enroladas nos seus vistosos vestidos, com joias da cabeça aos pés; os enfermos, os mendigos; ali vêm os mendigos e enfermos, o que não tem braço, o que arrasta a perna, o que tem o corpo torcido, o cego... (E ali vem o guia que não conseguiu nada: ah, plataforma impossível, carros impossíveis, Jagganath impossível, no seu pedestal, entre Balabhadra, seu irmão, e Subhadra, sua irmã...)

O recinto do templo – compreendendo vários santuários – é de alguns quilômetros quadrados. As torres aparecem, por cima dos muros, e a mais alta é a de Jagganath: uma espécie de pirâmide ovalada, tendo lá em cima – dizem que mede uns setenta metros – o emblema de Vishnu: uma roda metálica, cheia de pontas, que o sol transforma em roda flamejante.

Mas já é suficiente, para se ter uma impressão da majestade arquitetônica e da fantasia simbolista destas construções medievais – uns dizem século XII, outros, século XIII, – contemplar as esculturas destes pórticos: os imensos leões, as quimeras, essas figuras híbridas que associam na sua composição múltiplas ideias que exprimem – figuras que a Antiguidade compreendia mais facilmente: da família das Esfinges, dos touros alados, das sereias, dos querubins, das visões de Ezequiel...

A imagem de Jagganath – contam-me – é uma tosca imagem de madeira, que todos os anos renovam, talhando-a numa árvore onde nunca tenha pousado pássaro carnívoro. Pintam-na de vermelho, menos o rosto, que é preto. Não tem braços nem pernas: perdeu-os, quando carregava o mundo, para salvá-lo. Explicam essa rusticidade da imagem, contando que o ídolo primitivo foi esculpido pelo próprio Vishnu, disfarçado em carpinteiro. Estava ele ainda no esboço, e pedira que o deixassem trabalhar na solidão; mas o rei, desconfiado de que se tratava de um carpinteiro preguiçoso, resolveu espreitá-lo: Vishnu desapareceu, deixando interrompido para sempre o seu trabalho. Todos os anos, quando se esculpe um novo ídolo, transfere-se para ele os poderes e a alma do antigo. Assim é Jagganath, o Senhor do Universo, humilde e imperfeito, no meio das riquezas acumuladas no seu templo. O simples turista deve achá-lo horrível, mais demoníaco do que divino, com essas estranhas feições. Por isso é que é perigoso chegar-se à Índia como simples turista. Tudo aqui requer uma explicação prévia. Tudo aqui é simbólico, e nem sempre esse simbolismo atende às solicitações da estética ocidental.

Defronte ao templo há uma ruidosa varanda, toda pintada com figuras multicores de homens e animais. Dizem-me ser a casa dos descendentes do Marajá que construiu o templo. Falam-me também da cozinha monumental de Puri, onde trabalham diariamente mil cozinheiros, sem salário, apenas pelo prazer de prestar esse benefício a 10 mil pessoas que podem comer por um preço ínfimo – um cruzeiro, talvez, cada refeição. Dez mil pessoas, em dias normais, porque, sendo Puri lugar de peregrinação, às vezes esse número sobe a 50 mil...

Pouco a pouco nos afastamos do templo, da grande Pagoda Branca, mas outros pequenos templos surgem: este de granito vermelho, completamente esculpido, com duas sereias à porta, como à espera da visita do mar, que não está longe... O mar ainda não vem, e o templo é um cofre de silêncio. Impossível descrevê-lo: mas esta arquitetura da Índia deslumbra as criaturas mais simples e os mais exigentes artistas. Rodeio este monumento perdido tão longe, na solidão da sua beleza: lá dentro, uma noite úmida, reclusa. Por fora, as figuras de pedra que ascendem para o céu cercadas de ramos de flores. Ramos de flores tão perfeitos que me pergunto se estes lagartos que saltam lá em cima não estarão enganados, cuidando que isto é uma floresta viva, apenas imobilizada por algum encantamento.

E seguimos. E há outros templos, com seus tanques sagrados, com suas sucessivas torres, suas incansáveis esculturas... E há mulheres e homens trabalhando, pelo caminho. É uma estrada, que constroem? Pedras amontoadas, classificadas pelo tamanho. Mulheres que as carregam. Belas, sérias, – quase tristes – escuras, com o sári arregaçado por entre as pernas, formando uma espécie de calção drapeado; algumas não trazem blusa: apenas uma ponta do sári mal encobre metade do busto. Homens e mulheres trabalham em silêncio. Não é por nossa causa; já os encontramos assim. Apesar de puras de feições, e de cabelos corridos, há mulheres quase negras. E é nestas que as joias de prata nas orelhas, no nariz, no pescoço, nos dedos, nos braços, nos tornozelos têm, realmente, singular poder sugestivo. Estes sáris humildes são, geralmente, de um azul safira muito profundo. Pensa-se na noite estrelada, diante destas pobres mulheres que vão e vem, na sua penosa ocupação.

Mas em redor tudo são deuses, nos seus plintos, nos seus nichos, nas suas torres... Deuses seculares, milenares, eternos... Deuses que devem estar vendo tudo isto, muito melhor do que nós os vemos...

[1959]

Humilde felicidade

Partimos de Cattack pela manhã: às 9 horas, estávamos no pequeno aeroporto, à espera do avião para Madrasta. (Os indianos, pela manhã, – especialmente as mulheres – têm sempre um ar primaveril: roupas frescas, tranças úmidas, – frequentemente, uma flor na mão...) Seguem na minha frente duas moças de vistosos sáris, amarelos e encarnados, com as solas dos pés pintadas desse pó vermelho que, se não me engano, se chama *alta*.

Chegamos a Madrasta logo depois do meio-dia. Há qualquer coisa na cidade que me seduz instanteamente; e o hotel é de tal modo confortável – um apartamento de poças amplas, com muitas janelas, cortinas balançadas pelo vento, um jorro de água prodigioso... – que o meu desejo imediato é nunca mais sair daqui. Mas há um congresso marcado para estes dias, o hotel já está todo tomado, e temos de obedecer ao gerente que, neste caso, representa o próprio destino...

Indago do que me seduz: é a transparência do dia? É este vento que passa, carregado talvez de uma invisível sugestão do mar? É este verde das árvores, ao longo das ruas? São estas claras roupas, estes alvos *dhotis* como nuvens enroladas no corpo escuro dos homens? São estas nítidas cores dos sáris, tão acentuadas aqui pelo cristalino brilho do sol?

Na enorme sala de jantar, deslizam os copeiros com a sua silenciosa cortesia. Inclinamo-nos para o cardápio oriental: afinal, estamos no país das especiarias... E, entre aromas de canela, cardamomo, e os mil segredos do caril, já me explicaram a história de São Tomé, já me convidaram para um casamento, já me falaram dos museus e bibliotecas desta cidade de Madrasta, cujo nome, segundo suponho, deve originar-se de *madras ou madrasha*, que significa escola muçulmana.

Em Madrasta, como no rosto da Índia, há de tudo: muçulmanos, cristãos, jaínos, além da população hindu, mais numerosa. E os teosofistas de Adyar – que é aqui bem perto – são conhecidos no mundo inteiro, e trabalham no sentido de fazer convergir todas as modalidades religiosas para o seu centro final, que é Deus. Bem que eu gostaria de esmiuçar tudo isso, mas muitos já o fizeram brilhantemente, antes de mim; – e a prova de que a tarefa não me compete está na fatalidade de ter de deixar o hotel daqui a três dias, por mais que goste destas salas, destes quartos, desta comida, destas cortinas, e desta brisa que dança no meu apartamento.

Em Madrasta não coexistem apenas todas as religiões, mas todos os idiomas. Sem falar nos forasteiros europeus que vão deixando atrás de si rastros de francês e alemão, sem falar no inglês, que ainda se ouve por toda parte, aqui se usa em grande escala o tâmil e o telugu, seguidos do malaiala, do canarês, do oriá, e ainda do *khond*, do *savara*, do *tulu* e do concani, que parece pertencerem apenas a algumas tribos.

Estou encantada com a noiva que me convida para o seu casamento. (Casamento, aliás, católico.) É uma linda moça, toda de branco e azul celeste, e estas cores e este drapeado das roupas – Deus me perdoe, mas fazem dela uma Nossa Senhora morena destas águas que se balançam de Madrasta a Sião e de Sião a Madrasta...

Quando a tarde refresca, saio por esta cidade clara, limpa, arejada, arborizada, com muitos estudantes, – e em tudo parece existir uma alegria pura de viver. E encontro – o quê? um templo? um monumento? um bazar? – não, uma livraria! uma destas livrarias onde todos os livros são absolutamente interessantes. Todas as artes e ofícios da Índia e do Oriente; toda essa literatura que, no Ocidente, parece inalcançável; todos os vocabulários, dicionários, guias de conversação não só das línguas da terra, como de Birmânia, da China, da Turquia, até a da "ocidental praia lusitana"... É claro que começo por travar conhecimento com as línguas da terra.

Crônicas de viagem 3 ✦ 207

Ah! quem pudesse viver vários séculos para aprender todas as coisas que ignora! Abro um livrinho de tâmil para principiantes, e encontro o seguinte: "O alfabeto tâmil compõe-se de trinta letras: doze vogais e dezoito consoantes. Essas letras formam 216 caracteres silábicos, que são combinações das consoantes com as vogais, havendo, por vezes, leve modificação na forma da consoante unida ao sinal vocálico..."

Ponho-me a contemplar os caracteres: já não se parecem com os do hindi e do bengali, com os fortes traços e as barras do sânscrito: estes, são arredondados, enrolados, parecem argolinhas metidas umas nas outras, molas de relógio, espirais soltas, brincos, bicicletas, colchetes. Por onde será que se começa a desenhar uma letra destas? O conjunto parece uma renda com muitas cobrinhas enroscadas ou em diferentes posições de ataque, perseguidas por um pontinho que se coloca nos lugares mais inesperados. Essas cobrinhas são extremamente complicadas, de modo que para se responder "Estou bem", a uma pessoa amável que indague da nossa saúde, temos de dizer: "*Nan migavum chagamai irukkiren*".

O livrinho de malaiala não é mais consolador. A língua tem 52 letras, sendo 16 vogais e 36 consoantes. Os caracteres – e há 576 caracteres silábicos – parecem menos atrapalhados, mas são igualmente curiosos. Predominam as curvas, como no tâmil. Há letras compostas que se escrevem lado a lado, ou uma por cima da outra. São como laços de fita, broches, fivelas, óculos, esquilos... Mas a resposta àquela mesma pergunta é muito mais simples: "*Nalla sukam tanne*". (Mas não é um exemplo suficiente.)

Sobraçando estes livros, pelas ruas de Madrasta, com uma profunda alegria de colegial em férias, ponho-me a pensar que é muito sábio, para a Índia, estabelecer-se um idioma nacional, uma "língua geral", o hindi, sem abolir estes idiomas locais, todos eles com categoria literária, pois todos possuem obras clássicas, autores ilustres, a dignidade da sua tradição.

Logo que posso, volto a abrir os meus compêndios. Como as crianças devem gostar de aprender esta escrita! Há frases que parecem bailados de formigas. Aqui, três formiguinhas se abraçam; depois, viram cambalhotas seguidas, uma, duas, três vezes; agora, são contorcionistas; logo dão saltos mortais. Dançam de roda com muitas outras formigas; umas cabeçudas; outras, de pé torto...

A brisa move todas as longas cortinas das janelas. A paz é deliciosa, neste apartamento largo, de cores suaves, por onde o crepúsculo começa a penetrar. E aparece uma estrela, a *nakshatram*, em malaiala, *taragai*, em tâmil.

Pode-se ser feliz assim, no fim do dia, tão longe de tudo, tendo como único entretenimento este exercício do espírito que consiste em sentir como pensam as criaturas mais distantes, dentro das palavras mais diferentes. Isto não é erudição nem filologia, é coisa mais próxima e bem mais rica: é o desejo de compreender a vida humana, mesmo sob este aparente brinquedo com letras curvas e sinuosas, que têm qualquer coisa também do movimento do mar.

Recordo, diante deste livros, que Madrasta organizou há mais de vinte anos uma biblioteca ambulante, – e folheio estes livros de arte, cheios de pássaros coloridos, de deuses serenos, de dançarinos quase em levitação, de esculturas antiquíssimas e de pintura contemporânea... E pouco a pouco tudo se vai apagando, – por mais brilhantes que sejam as cores, por mais nítidas que sejam as gravuras, por mais impecável que seja o papel. O dia acaba, nesta sala, entre estes livros – enquanto a estrela se torna mais brilhante, escondendo-se e mostrando-se, ao jogo do vento na cortina.

Mas, apesar do vento e dos ventiladores, o calor é grande, sem ser desagradável. Tudo é tão vasto que não se chega a sentir a sua opressão: janelas, jardins, árvores, praia, céu, mar, o Oriente do Oriente...

Tem-se pena de apagar as luzes. Tem-se pena de dormir, de perder o tempo do sono. Compreende-se porque Alexandre dizia ser o sono uma de suas duas – apenas duas – debilidades. E dorme-se desejando que a noite seja breve, que a madrugada brilhe cedo, e que ainda se tenha a graça de acordar.

[1959]

Mil figuras e uma voz

Esta folhagem que sussurra sobre a nossa cabeça é a da preciosa árvore *nim*, tão citada pelos poetas da Índia, – árvore bela e boa, que adorna muitas avenidas daqui, sendo, ao mesmo tempo, usada em medicina, para diferentes fins. Se quereis seu nome científico, é *Melia azadirachta*, assim o escrevem no meu caderno.

O sol da manhã dá uma transparência dourada à copa destas árvores, e, por entre os seus ramos, brilha um céu azul, nítido, mineral, como um teto de louça.

The National Art Gallery de Madrasta, que vamos visitar, foi inaugurada em 1951. Não é um vasto museu, – mas oferece aos visitantes um pouco de todas as coisas de arte da Índia: pintura e escultura, objetos de metal e madeira, de marfim e de sândalo, tecidos e artigos de *bidri*, indústria típica de Haiderabad, aparentada com a velha damasquinaria da Arábia e da Pérsia, mas com um tratamento peculiar, apenas com desenhos de prata numa superfície negra e fosca, semelhante à ardósia.

Apesar de ser tão famoso o ardor da imaginação oriental, ainda não encontrei um indiano que exaltasse com palavreado febril as coisas de seu país. Isto me parece um dos requintes da educação do povo. E há um contraste pasmoso entre a modéstia das referências que ouço e o valor das pessoas ou objetos que venho a conhecer.

Na verdade, The National Art Gallery não é um museu de vastas proporções: mas todas as obras que aqui se encontram foram escolhidas com tal sabedoria e expostas com tal intenção que o visitante não pode deixar de se sentir empolgado pela atmosfera que o envolve, e que envolve cada peça, – atmosfera de silêncio, respeito, solidão, onde a obra de arte recobra o sentido sagrado que originalmente existe em todas as grandes criações do espírito.

Seria matéria para um especialista explicar os exemplares da pintura mogol e das antigas escolas de Tandjore e do Rajastão, bem como estes notáveis bronzes que aqui se encontram. E mesmo simplesmente descrevê-los é absurdo, impossível, pela riqueza dos pormenores, a excelência da factura, a delicadeza e a sublimidade dos temas, e a posição de tudo isto no espaço e no tempo.

Igualmente impossível falar das peças mais recentes, em poucas linhas, porque a arte, deste lado do mundo, é encarada, realizada e apreciada, governada, enfim, por outras leis. Leis tão fundamentais no espírito desta gente que relacionam o mais suntuoso templo, recoberto de inverossímeis esculturas, com o mais modesto objeto de arte popular. Pode a Índia possuir muitos idiomas, muitas religiões, muitos estilos, – mas há uma coisa que une tudo isso, uma unidade que paira acima dessa multiplicidade e que nitidamente a preside: um pensamento profundo e concentrado que está nos movimentos de Shiva dançante, como nas flores que correm pelos marfins, pelo sândalo, pelos tecidos de ouro e prata, como no drapeado das roupas de homens e mulheres, como na expressão de seus olhos e no ritmo jamais vulgar de suas mãos.

Pode-se ter visto todos os museus da Europa, das grandezas do Vaticano à sóbria elegância dos mostruários da Holanda: esta galeria é outra coisa. Aproxima-se das exposições cuidadosas de Amsterdã pela distribuição dos objetos, pela qualidade da luz, pela valorização de cada peça. Mas excede-as pela concordância – que ao mesmo tempo é contraste – dos objetos seculares com o despojamento de que o circundam: parede, nicho, pedestal... Nessa espécie de ausência que forma um nimbo suave, em redor de cada coisa, pode-se ficar longo tempo a descobrir, uma após outra, todas as graças de que o artista foi revestindo o seu sonho à medida que o transferia para este mundo, submetido a cores, a forma, densidade... Uma obra de arte, uma única, dá para pensar toda a vida.

Mais tarde, vamos ao museu. Amplas salas. Que imensidão de vitrinas e de objetos! Que abundância de informações para um estudioso que disponha de tempo!

E enquanto o esclarecido professor que nos acompanha me explica os vários adornos usados pelas mulheres da Índia em seus decorativos penteados, descubro um balangandã por detrás da vidraça. Um balangandã de prata, com os seguintes berloques: chave, trinco, pote de colírio, cestinho, escada, uvas, potes vários, abacaxi, lâmpada, peixe, borrifador de água de rosas, escorpião, folha de bétel, uma haste que serve para limpar os ouvidos e um tubo que é considerado estojo de talismã. Tudo isso exatamente suspenso de um suporte de desenho mais ou menos barroco, no gênero dos que conhecemos nos modelos baianos. O nome do objeto é *savi kotthu*. Significa: "molho de chaves".

Para uma pessoa que se interessa por assuntos folclóricos, ir encontrar num museu de Madrasta um balangandã como os da Bahia é, certamente, uma grande emoção. Aliás, em Patna, já me tinham aparecido muitas bonecas de barro idênticas às do Araguaia, mas com um suporte para as manter de pé, como os porta-retratos.

É depois dessas belas aventuras, com os olhos repletos de deuses, de flores, de animais, de foscas cerâmicas e joias cintilantes que vamos ver um fabuloso templo, com uma destas torres piramidais que caracterizam a arquitetura do sul da Índia, onde uma assembleia mitológica parece meditar sobre os destinos do mundo e dos homens. O largo tanque sagrado. As pessoas – homens, crianças, mulheres de todas as idades – que se aglomeram em redor. O homem que nos tira os sapatos para que possamos penetrar no recinto – o imenso recinto que rodeia as várias edificações. O ranger da areia cinzenta e quente – muito quente – nos nossos pés descalços. Os ascetas, à sombra das colunas, imóveis, em meditação: barbas e cabelos desgrenhados, e apenas um pedaço de pano, como vestido. Os devotos, numa capela, a caminharem em ritmo apressado, em torno de uma pedra simbólica, a recitarem palavras de ritual. De repente, vejo-me ao lado de uns grandes elefantes de pedra, negros, com os dentes e as unhas pintados de branco. E contemplo as torres, – policromas, reluzentes de prata, subindo para o céu azul, fazendo cintilar ao sol todas as suas prodigiosas alegorias...

E vem depois, à hora do chá, a noivinha que se vai casar no sábado... – ai de mim, que já não estarei aqui! – a noivinha de azul e branco, que é doutora em medicina e tem o nome de Maria...

A cidade de Madrasta, como quase sempre acontece na Índia, tem aspectos muito variados: bairros quase europeus, mas com tabuletas em caracteres locais; o bazar, sempre inconfundível com seus odores, rumores e cores; a bela avenida por onde se estende a fachada rósea e branca da Universidade; a zona aristocrática; e, afinal, a do porto, onde, ao sol que declina, brilham, lustrosos de suor e de água do mar uns homens quase negros e quase nus, robustos e sérios, que conduzem seus carros de boi com a majestade das esculturas arcaicas.

À noite, na praia deserta – e há um caminho por onde se poderia ir andando, andando, e entrando pelas águas do mar, – os noivos querem conhecer cantigas populares do Brasil. Cantigas populares do Brasil! Os metros ocidentais, no Oriente, não têm sentido: toda esta paisagem, a grandeza destes monumentos, a antiguidade deste povo conduzem a frases longas, sem retorno de rimas nem estribilhos. "Prenda minha", "Meu limão, meu limoeiro", "Nesta rua tem um bosque", as melhores cantigas de carnaval perdem-se aqui, melancolicamente, sem poderem aderir a este ambiente, sem ressonância nestes ouvidos... Ficam humilhadas como papel rasgado no meio de um faustoso e prolixo jardim que uns adoram e outros detestam, Maria e seu noivo cantam. A música é esta música oriental, interminável, entrecortada como um soluço, e logo infinita... A letra é de Tagore. As palavras são de exprobação aos faquires que passam a vida inteira rezando pela sua salvação própria, sem nenhum esforço pela felicidade alheia.

A noite vai avançando, e Maria canta. Praia deserta e vagamente iluminada. Não há malfeitores, não há cobras, não há mais ninguém senão estas quatro pessoas, duas do Ocidente, duas do Oriente, que talvez nunca mais se encontrem, mas agora são felizes, entre o céu e o mar.

A voz de Maria será o último eco desta cidade em meus ouvidos: amanhã de manhã partiremos para Coimbatore.

[1959]

Contrabando e magia

A alfândega mais sugestiva do mundo é essa cidade de Trás-os-Montes que se chama Alfândega da Fé, nome que pode inspirar o viajante imaginativo aventuras sobrenaturais, com anjos e demônios a verificarem nas suas balanças, lindamente aferidas, a alma de cada um, como em auto de Gil Vicente. Já andei perto, mas nunca tive a sorte de passar por essa cidade: fica-me sempre no mapa e nas setas da sinalização, e no entanto ela é que certamente me consolaria dos desgostos que me têm causado (com duas ou três exceções) essas alfândegas realmente alfândegas, não só no nome, mas em função, que cada país coloca nos lugares que lhe parecem mais adequados e com as quais, além da finalidade a que as destinam, conseguem alcançar outra: a irritação do viajante honesto submetido a seus sádicos rigores.

Parece-me, às vezes, que esses senhores que ofendem as nossas malas e as nossas pessoas com a sua desconfiança – e alguns com seu sarcasmo – devem ser escolhidos em concursos de grande interesse público, assim como os concursos de beleza, graça, elegância, que hoje consagram por toda parte donas e donzelas favorecidas pela natureza e pela educação. Mas, evidentemente, concursos às avessas. Deve haver um acordo internacional, nesse sentido, para eleger as caras mais selvagens, com mais sobrancelhas e narinas resfolegantes, e as mãos mais bruscas, de unhas mais ameaçadoras. Nós, ignorantes, não o sabemos. Mas verificamo-lo à nossa custa.

Tenho encontrado alfândegas que me desarrumam as malas, à procura de quê? Pois de café, de açúcar, de cigarros, de arroz... Enfim, sente-se uma pessoa, sem mais nem menos, confundida com os senhores comerciantes, em geral muito honrados, desta praça ou de qualquer outra – que não é (longe de nós!) – nenhuma diminuição, quanto à atividade em si, malgrado alguns métodos e técnicas de tal atividade não se coadunarem propriamente com a vocação de qualquer viajante.

Estuda-se nos tratados a arte de arrumar as roupas em camadas, e depois de tudo muito bem disposto nos seus respectivos lugares, lugares exclusivos e intransferíveis, com seu catálogo e código, o cérbero aparece, ávido de contrabandos, desloca toda aquela paciente obra-prima, à procura de qualquer dos itens referidos, e até de outros, que desconhecemos, mas que lhe podem ocorrer, em privilegiada inspiração. Se depois a mala não se ajusta, o fecho enguiça, não se pode dar volta à chave, se alguma coisa fica torta ou quebrada, com a pressa do exame, como se vai responsabilizar aquele malfeitor, brutal intérprete da lei?

Certa vez, indo dar (por inocência), um curso de folclore no estrangeiro, e como levasse alguns discos para ilustrá-los, fui solicitada, entre muitos lápis, carimbos e olhares de raios X a traduzir para a língua local (traduzir mesmo, não explicar, apenas) palavras como "batuque", "cateretê", "jongo" etc... (Dessa vez, achei absolutamente inútil dar qualquer curso sobre qualquer assunto em qualquer lugar.)

Mas, tempos depois, encontrei um cérbero erudito e irônico. Não queria revolver todas as minhas malas, oh, não. Com um gesto circense, apontou apenas uma delas. Somente aquela! (E exultava!) Queria saber se eu levava... barras de ouro! Porque o Brasil, explicou-me, é o país das minas. Logo, silogisticamente... (Por onde vi que o Brasil está com duzentos anos de atraso nas informações aduaneiras. E pareceu-me necessário dar imediatamente, no estrangeiro, todos os cursos sobre os nossos assuntos.)

Houve outro que não me mexeu nas malas. Esse tinha mais confiança no seu faro. Fitou-me com olhos hipnóticos, e, levantando na mão um objeto que parecia um simples lápis mas devia ser um radar, perguntou-me com voz hierática: "Não leva nenhum quadro célebre?" (Enfim, essa pergunta me agradou mais. Já não se tratava de feijão nem lombo. E o homem não me desarrumava a roupa. Pode ser até que estivesse brincando... As criaturas são tão misteriosas...)

Crônicas de viagem 3 ✦ 215

Mas quando leio nos jornais que há contrabandos de bebidas, de aparelhos de rádio, de ar-condicionado, de... – que sei eu! – fico muito impressionada. Porque é difícil confundir uma camisa com uma caixa de metal, e esses objetos grandes – e grandiosos – não cabem nem se aguentam nessas pobres malas que com qualquer pequeno choque, logo se recusam a funcionar. Bem sei que há malas de todas as grandezas. Mas quanto maiores mais se veem. A não ser que se trate de processo mágico de narcotizar o cérbero, ou de tornar invisíveis as coisas, ou de desincorporá-las do lado de lá da alfândega e reincorporá-las do lado de cá, – processo muito antigo e bem exposto em qualquer manual prático de feitiçaria. Talvez seja preciso estudar melhor a situação atual dos bruxos, organizar um congresso para debater o assunto, criar, talvez, um departamento especializado...

Rio de Janeiro, *A Noite*, 13 de janeiro de 1961

Tarde na Galileia

Tínhamos voltado de Nazaré e fôramos para Tiberíades. Do restaurante onde almoçáramos, situado num ponto alto, com vista redonda sobre a verde e ridente paisagem da Galileia, tínhamos visto, realmente visto, um vento bíblico. Um vento que conhecêramos nos confins de Eilat, e que parecia ter subido todo o deserto, para chegar ali com suas mãos poderosas e sua enorme voz. Lá tínhamos ouvido o vento. Aqui podíamos vê-lo, vê-lo nas árvores derreando-se à sua passagem, nas nuvens do céu precipitadas, nos olhos do cão assustado, encolhido à porta, no seu instintivo assombro.

Poderia aquele vento arrebatar nos braços a pequena, a pobre vila de Nazaré, que pouco antes percorrêramos? Levaria pelos ares aqueles lugares piedosos, aquelas negras oficinas de ferreiros e funileiros, aquele humilde comércio de grãos, tâmaras, facas, panos brancos, cebolas, azeitonas? Não: Nazaré continuava secularmente agarrada ao chão, pobre, simples, no meio do fabuloso vento.

Depois veio uma chuva dançar nos ares cheios de pequenos ruídos, ecos, suspiros, tinidos que rolavam dentro do vento como pedrinhas. Os movimentos prateados da chuva iam toldando a várzea toda verde e como estávamos num ponto alto podíamos ver aqueles véus finos da água oscilarem, flutuarem, arregaçarem-se, mostrando e escondendo a paisagem, até que ficou tudo por igual cinzento, sem brilho – vastíssima teia de aranha que o vento ia deixando de abanar.

E foi assim que chegamos a Tiberíades, com as malas molhadas, e encontramos o lago de Genezaré escuro e fosco: uma longa nuvem de chuva que tivesse pousado no chão.

Mais tarde, porém, o tempo melhorou, começou essa festa dos últimos pingos de água na beira das folhas verdes, o céu foi ficando um mármore azul e branco, o lago começou a animar-se com reflexos e brilhos do céu. Então, a moça que me acompanhava propôs-me um passeio até o lugar da tumba de Maria Madalena.

A tarde ia-se tornando lindíssima, com cheiro de terra molhada, uma grande limpidez no ar; e, como resto daquele vendaval troante, uma pequena brisa encaracolada saltava pelos caminhos barrentos. Tudo era tão deserto, tão só de árvores, sulcos de água pelo chão, brisa, céu, como se desde os tempos do Evangelho nada mais tivesse acontecido ali. Nem ruas nem casas nem pessoas.

Pelo caminho de barro o automóvel tinha certa dificuldade em continuar: e a tumba de Maria Madalena ficava num lugar um pouco indeterminado, naqueles campos sem pontos de referência.

Mas avistamos uma casa, e outra mais além, como se estivéssemos diante de um bairro nascente: pequenas construções dispersas na tarde úmida. E apareceu um menino que devia conhecer bem a região: olhou em volta, apontou, explicou. O chão estava muito molhado da chuva que caíra, seria difícil andar naquele barro. Que pena!

E assim fomos parar à casa de Pôpo. Quem seja Pôpo não sei. Sua casa era muito engraçada: logo que se transpunha a porta, podia-se ver tudo por todos os lados. Como se via tudo e não se viu ninguém, Pôpo devia estar sozinho.

E assim fomos parar na casa de Pôpo. Quem seja Pôpo fazia esculturas pequeninas, em madeira de oliveira. Como se estivesse brincando. Fazia bichinhos, folhas de diversos feitios, pequenas cabeças que se pareciam com ele, mãozinhas – coisas que recordavam ex-votos.

Pôpo trabalhava na cozinha. Tinha um pote de cola, uns alfinetes de gancho e fazia broches. Não tinha nenhuma atitude de vendedor. Só de criador. Não direi que suas criações fossem obras-primas. Eram, porém, a sua vida, naquele recanto de um mundo repleto de cenas eternas, entre montes suaves e águas meigas.

Embora Pôpo não tivesse jeito de vender, deve haver quem compre seus broches, que é preciso escolher em grandes caixas, onde estão todos promiscuamente. Os bichinhos às vezes são um pouco estranhos: isto será um gatinho? um cãozinho? um leãozinho? O encanto dos enigmas.

As folhas são mais bonitas. Uma folhinha de madeira de oliveira: para quê? Para nada. Para se pôr na lapela, como se fosse trazida pelo vento e ali pousasse com a cor das folhas secas. A cor do azeite, o aroma da oliveira cortada, alimento e luz: e a tarde da Galileia. (A tarde sem a tumba de Maria Madalena.)

Rio de Janeiro, *A Noite*, 2 de fevereiro de 1961

Uma aventura formidável

Mal entrou no avião, no aeroporto espanhol, a senhora começou a passar tão mal como se já estivéssemos caindo nos abismos do mar oceano. As hélices ainda nem se moviam, e ela já estava padecendo de uma grande falta de ar. Era pequenina, gordinha, toda de preto, com muitos caracóis e algumas *peinetas*, muitas pestanas e uma infinidade de coisas que a atrapalhavam: brincos, colares, broches, pulseiras, anéis. Levava as mãos ao peito arfante, como para saber se vivia, caso ainda lhe palpitasse o coração.

À medida que se aproximava o momento da partida, mais aumentavam suas apreensões: levava o lencinho à testa, à nuca, e girava o perfil para cá e para lá, numa forma nova de respiração lateral não destituída de originalidade.

É claro que não viajava só: várias aias a acompanhavam, munidas de muitos acessórios: vidrinhos que deviam ser de sais, licores aromáticos, colheres de prata e leques, evidentemente. Todas essas coisas funcionavam com presteza, ritmo e dedicação. Embaraçada em suas formas roliças e em seus numerosos atavios, a dona, de minúsculos pezinhos, que não chegavam a tocar o piso do avião, entregava-se aos cuidados de suas aias com a resignação cristã de quem sabe que vai morrer daqui a uns dois ou três minutos, no máximo.

As donzelas ainda não tinham começado a carpir, mas sentia-se que carpiriam bem: eram morenas e formosas, com grandes cabelos negros, olhos ardentes e ficariam belíssimas se desgrenhadas, bramindo entre o céu e a terra a sua desesperação. Mas Deus nos livre e guarde.

Éramos poucos a bordo, e respirávamos com parcimônia, para que não faltasse o ar necessário à aflita senhora. Ela, porém, continuava a procurá-lo de um lado e de outro, entre leques sabiamente agitados, protegida por aquela dulçorosa panaceia que sorvia com esperança, e que devia ser feita de flores ainda árabes, daquelas que, outrora, só com a sua presença, curavam males do corpo e do espírito.

Não, a dona não queria dormir nem acalmar-se com qualquer comprimido moderno e antipático, invenção vil de uma ciência alheia à estética. Seu mundo era de rosas, violetas, narcisos, murta e rouxinóis.

O avião, afinal, teve de levantar voo, foi preciso prender os cintos, houve uma pausa de suspiros presos, olhos fechados e profunda contrição. A paisagem foi caindo dos nossos olhos e era como se tudo estivesse mesmo acabado na terra e fôssemos um grupo de almas privilegiadas que nos dirigíssemos efetivamente para os prados da bem-aventurança.

A dona arriscou muito a medo um olhar para o céu: não se avistavam ainda os anjinhos, mas havia umas nuvens soltas, brancas e tênues, que deviam ser suas túnicas em férias.

As donzelas tinham recomeçado a vibrar seus leques com prodigioso virtuosismo. E era evidente que todos nós, míseros passageiros, começávamos a sentir alguma inveja daquela viajante medrosa, a palpitar entre lencinhos de renda, perfumes, cordiais e leques, que ora nos fazia pensar em Goya, ora em García Lorca.

Todos participávamos de sua existência: quando sentia falta de ar, todos nós arquejávamos. Se tomava seu licor de flores, todos sentíamos a boca perfumada e doce. Quando ousava pestanejar, levantando para as nuvens seus olhos desconfiados, os olhos de todos nós eram cortejo dos seus.

Mas ai! nenhum de nós poderia ser jamais assim! Refletíamos a cena, mas éramos outros. Estávamos vendo, sim, mas era como se estivéssemos lendo uma narrativa curiosa, que nos fazia sorrir e pensar.

O voo não foi muito longo. As donzelas não tiveram de carpir, com os cabelos desnastrados. As velhas flores árabes provaram sua eficácia e os leques produziram seus efeitos mágicos. A dona começou a ver as paisagens da terra subirem a seus olhos, trazendo plantas, arroios e animais, arcadicamente.

E tudo mudou. Sorriu a dona, já sem nenhuma falta de ar. Seus dois perfis pararam. Suas mãos de anéis interessaram-se pelos anéis de seus cabelos. Mirou-se no espelhinho de cabo que as donzelas lhes apresentaram, e verificou-se viva, perfeita e bela, no seu estilo, que era levemente barroco.

E então pulou nos seus pezinhos antigos de dentro do cinto e de cima do banco, e esperou que as donzelas submissas fechassem leques e vidrinhos de cristal, e a acompanhassem agora na dificílima e arriscada operação de descer solenemente do ar assustador para a terra, considerada firme.

Rio de Janeiro, *A Noite*, 9 de fevereiro de 1961

Viagens encantadas

O grande encanto das viagens não é apenas o conhecimento geográfico que com elas adquirimos; não é a alegria (um pouco vulgar) de fazermos compras agradáveis e razoáveis, seja para uso próprio seja para essa moda (mais vulgar ainda) de organizar pequenas casas comerciais de nomes pretensiosos e preços extravagantes. Talvez não seja, sequer, o deslumbramento das paisagens nunca vistas; dos espetáculos jamais sonhados; dos museus que nos obrigam a admirar, num tempo em que essa faculdade gloriosa da criatura humana tende a diminuir e a desaparecer.

O que me parece o grande encanto das viagens é ir-se encontrar, num sítio distante, que nunca se frequentou, de cuja existência nem se tinha notícia, alguma criatura que na véspera nem se conhecia, e, de repente, se descobre ser tão amiga como os amigos de infância, e tão para sempre como a nossa própria alma. Todos nós temos desses encontros, cada um segundo os seus méritos e a sua condição. (E descobrimos, igualmente, a nossa condição e os nossos méritos, embora muitas vezes possamos chegar a duvidar da lógica de semelhantes privilégios.)

Quem são esses que assim nos esperam à beira de rios onde tecem seus vimes ou talham seus barcos?

Crônicas de viagem 3 ✦ 223

Quem são eles que ainda parecem cantar "canções de amigo" dos tempos medievais...

> Por Deus, amigo, quen cuidaria
> que vós nunca ouvéssedes poder...
> de tam longo tempo sen mí viver!

Às vezes estão à nossa espera com a casa acesa e a mesa posta, e escolheram com muito carinho o que vão oferecer a um desconhecido. (A um desconhecido? Seremos, mesmo, desconhecidos?) Alguns nos trazem flores e falam conosco como se fôssemos parentes. Entramos em sua casa com muita naturalidade: seus cães vêm sentar-se ao nosso lado, pousam a cabeça em nossos joelhos, exatamente como se também eles sentissem que estamos regressando...

Essas misteriosas viagens, esses encontros, essa felicidade que não adivinhamos nem planejamos, e é tão irresistível e autêntica, deixam-nos depois pensativos: do outro lado do rio que nos separa da vida, nessa viagem encantada de que não se volta, quem nos dirá – ou a quem diremos? – de modo muito medieval:

> Gran temp'á, meu amigo, que non quis Deus
> que vos veer pudesse dos olhos meus...

(Mas certamente encontraremos também amigos.)

1961

A baía fosforescente

Muita gente passa pela bonita ilha de Porto Rico, muita gente mesmo lá vive sem nunca ter visto a sua baía fosforescente. (Também, os moradores e naturais do Rio quantos não se abalaram nunca a subir ao Corcovado ou ao Pão de Açúcar!) Mas o forasteiro curioso encontra sempre algum amigo imaginativo que se lembra de lhe oferecer esse espetáculo verdadeiramente deslumbrante e poético. O fenômeno não é exclusivo daquela ilha; mas não sei se se verifica em muitos lugares do mundo. Em todo caso, naquelas deliciosas paragens, de lânguidas palmeiras e cálido vento, a baía fosforescente parece a complementação natural dos seus encantos: uma espécie de manto festivo que envolve a ilha noturna, enquanto a coroa o céu.

Numa pequena lancha demanda-se o lugar do espetáculo. De repente, avista-se, ainda ao longe, a franja das águas bater pelas praias com singulares cintilações de prata azulada. À medida que se vai avançando, já não é somente a franja das águas, é o próprio mar que se vai tornando flácido e luminoso, como transformado em fino metal resplandecente. As ondas vão caminhando e desenvolvendo sua densidade de mercúrio azul para de súbito se levantarem em vagas côncavas, imensos espelhos curvos, que despenham num chuveiro de estrelas como um fogo de artifício.

A água que entra na lancha deixa por onde passa seu rasto luminoso e vai formar pequenas poças luzentes que oscilam, ao movimento da embarcação, com fluidez e unidade, guardando um equilíbrio de prata e luar. O rapaz de bordo mergulha um balde no mar e retira-o a escorrer luz por todos os lados. Tudo que é tocado pela água se torna luminoso, fosforescente, e cintila na noite com todos os seus pormenores – argolas, desenho torcido de cordas, falanges, superfícies de madeira – com uma claridade sobrenatural. Nesse ponto do mar atinge-se uma espécie de vertigem suave, a vertigem de quem se desprendeu do mundo habitual e se sente transportado em claridade, convertendo-se na própria claridade, numa inesperada metamorfose, em meio ao silêncio enorme do mar e do céu, naquela solidão tão vasta que o próprio barco e cada companheiro se vão tornando evanescentes e ninguém já sabe onde está, nem que corpo tem, e se confunde com a noite e o espírito do universo, à mercê do mar que afoga tudo em seu infinito esplendor.

Acharíamos natural que aparecessem sereias à superfície das águas, com seus cabelos de prata, com suas escamas de prata, com suas vozes de prata. Mas apenas as vagas se levantam, em grandes arcos, sustentam-se um instante no ar, com formas de estranhas árvores, e logo se desfolham, e voltam a balançar-se em luz, preparando outros altos, outras quedas, outros deslumbramentos.

Volta-se, depois, ao lugar da partida e com melancolia se vê todo aquele esplendor distanciar-se. As águas vão tomando o aspecto natural do mar noturno – cristal negro com rápidas arestas brilhantes, flores desmanchadas de espuma. Mas ao longe a grande festa continua: vê-se a orla da praia desenhada pela água fosforescente até onde a vista ou o rumo da embarcação nos permitem alcançá-la.

É então que se ousa fazer alguma pergunta acerca do fenômeno: quando, livre daquele círculo mágico de fascinação, o raciocínio volta à fria análise que dispersa os mistérios da fantasia. Fica-se então sabendo que no século XVIII, Labillardière, surpreendido por um fenômeno análogo, num golfo da Guiné, enchera uma garrafa com essa água cintilante, e, fazendo-a coar, observara a presença de pequeníssimos corpúsculos, sem os quais a água perdia aquelas propriedades fosforescentes. Fala-se dessa estranha maravilha que é o mundo que nos cerca, desses inesperados encontros com a grande beleza silenciosa da natureza. Depois, esquece-se um pouco o ensinamento da ciência, e continua-se a sonhar com o êxtase inesquecível da baía fosforescente.

[12 de setembro de 1963]

Canções de Tagore

Uma noite, na Índia, éramos quatro pessoas numa praia absolutamente deserta, iluminada apenas pela claridade do céu. Íamos andando em direção ao mar, sem sabermos bem dos limites da areia e das águas. O som das ondas e o pequeno arabesco branco da espuma conduziam nossos lentos passos: e era como se fôssemos pouco a pouco saindo deste mundo.

Foi quando Maria, minha amiga recente, que aparecia na noite envolta em seu sári branco e azul como uma pequena santa; Maria, – minha amiga cristã que devia casar uma semana depois, sem que eu a pudesse ver no dia do seu casamento, – perguntou-me por que não cantávamos um pouco: a noite era bela, a solidão profunda, e nós estávamos felizes naquele instante, como se desde sempre nos tivéssemos conhecido e tivéssemos sido amigos desde sempre.

> (Neste lugar só de areia,
> já não terra, ainda não mar,
> poderíamos cantar.)

A Índia é um país de ritmos lentos e versos longos. Suas extensões convidam a uma fala poética vagarosa; mesmo quando as palavras são rápidas, a frase é prolongada e sustentada; as imagens acorrem, deslumbradas; como os grandes rios, como as árvores compactas, a poesia da Índia e a sua música têm uma densidade interminável. Como o próprio giro da vida, não parece haver, para elas, terminação, conclusão, fim, – mas sempre e sempre continuação, encadeamento, num movimento circular sem interrupção.

Embora sentindo tudo isso, animei-me a cantar pequenas canções populares, coisas despretensiosas do nosso folclore, simples amostras do nosso ritmo e da nossa melodia.

Depois, Maria começou a cantar. Cantava em bengali, com aquela emoção que faz parte da música oriental: sua voz tênue, vaporosa, incorporava-se ao mar, às estrelas. E ali sentados na areia, longe de casas, de ruas, de todas as presenças, íamos sendo levados pela sua voz ao longo da noite, ao longo do céu, ao longo do mar.

Eu tinha traduzido as minhas simples canções. Ela traduziu-nos as suas. As suas eram de Tagore. Falavam do amor humano e divino, e guardavam sempre nas palavras aquela dignidade religiosa que caracteriza a obra do poeta. Ele escreveu a letra e a música de tantas canções que parece impossível a riqueza criadora do seu espírito. E essas canções circulam pela Índia toda, de tal maneira o poeta estava identificado com a sua terra. Talvez muita gente nem saiba de quem é a canção que está cantando, aqui e ali, na imensidão da Índia. Mas todos encontram nas suas palavras a expressão da sua vida.

Recordei tudo isto agora porque, entre as celebrações do Centenário de Tagore, ocorrido há dois anos, figura uma edição de cem das suas cantigas, acompanhadas da tradução inglesa e em notação ocidental. "Bendita é a noite; bela, a natureza..." diz uma delas. E ouço muito longe a voz de Maria,

> na praia do fim do mundo
> que não guardará de nós
> sombra nem voz.

Folha [*de S.Paulo*], 15 de janeiro de 1964

Marine Drive

O livro abriu-se nessa fotografia de Bombaim: Marine Drive. Quem conheceu a praia de Botafogo, no Rio, antes das atuais reformas, poderia pensar que esta curva era a da praia carioca, e este enroscamento, e esta amurada em que, no entanto, se veem sentadas mulheres indianas, de sári, cabelos enrolados na nuca, cercadas de crianças e desfrutando com elas da fresquidão matinal do mar.

A luz do sol estende largas manchas brancas nas pedras, no parapeito, nas roupas das mulheres, no rosto das crianças, e na linha contínua dos edifícios, até o fim da curva, que parece um desenho de harpa. Se fosse uma fotografia colorida, esta luz estaria impregnada de uma cintilação de coral e de ouro e a espuma que estas águas vêm entregar às pedras estaria cheia de chispas irisadas de diamantes.

Marine Drive. Aquele mormaço pelo céu, pelas paredes, pelo chão. Dentro de casa, os ventiladores rodando quase inutilmente. Aquele torpor que talvez inutilize para a atividade física, mas abre campos largos para a imaginação. O informante malicioso que diz: "Em Bombaim, apenas três estações: *warm, warmer and warmest*". Sim, faz muito calor. Até o grande relógio parece que anda mais devagar. Não há um sopro de brisa. E as águas do mar não consolam a vista, pois bem se vê que devem estar muito cálidas, cheias de faíscas, de reflexos, de vibrações de fogo.

No entanto, à noite, Marine Drive transforma-se. Passeia-se num carro descoberto, com um cocheiro sonolento – e na verdade é como se não se estivesse passeando, mas apenas sonhando que se passeava. De um lado e de outro, tudo deserto. O carrinho vai rodando e, de ponta a ponta, tudo deserto, também. Deserto e claro: o chão, as fachadas dos edifícios, a amurada que alonga a sua curva emoldurando o mar. Agora, não mais a cor do coral e do ouro das manhãs de sol, mas a brancura do luar polvilhando de prata o caminho, as casas e o arabesco das ondas inquietas.

Com esse rodar do carrinho por dentro da silenciosa brancura; com esse ritmo do cavalinho a trabalhar tão tarde, na noite; com o vulto do cocheiro imóvel; com os amigos calados, deixando-se ir, o passeio noturno já transcende os limites de Marine Drive; como no drama de Kalidás, vamos subindo do chão, vamos ascendendo pelos ares, vamos perdendo a nossa identidade terrena e adquirindo uma natureza mais sutil. Somos os viajantes de uma noite sobrenatural, branca e transparente; vamos em direção às estrelas, e das casas todas fechadas ninguém assiste à nossa evasão.

Essas casas, são, na verdade, edifícios de vários andares, de arquitetura sóbria, alinhados, que a claridade do luar transforma numa alta e longa muralha branca. Embora fechados, ainda se nota, em alguns, leves pontos de iluminação. E desses incertos lugares vem aos nossos ouvidos um som de música oriental, muito plangente, que paira suspensa na noite como o perfume nos jardins.

Oh! o interminável passeio por Marine Drive! Bombaim, cidade tumultuosa, de multidões apressadas, oferece-nos este momento único de solidão e silêncio, esta avenida de sonho atravessada por um simples carrinho onde quatro pessoas extasiadas se deixam conduzir tranquilamente, sem obrigação de chegar a lugar nenhum.

Mas um outro som se levanta, agora muito mais próximo: o de uma frauta rústica, de música indecisa, inventada lentamente, nota a nota, numa delicada experiência. De onde vem essa música, tão doce de ouvir porque se sente que está sendo criada com amor, por uma necessidade veemente de expressão, sofrimento que poderia ser grito, mas que se transforma em suspiro e cadência e melodia...

A música vem do lado do mar: vem das pedras do enroscamento. Ali, à beira da água, onde a espuma também reduz a um sussurro a larga voz das ondas, o músico invisível está modelando os sons de uma obscura frauta para contar à noite, ao céu, à solidão os segredos da sua vida. Até muito longe nos acompanha a vaga melodia que poderia ser a linguagem de qualquer um de nós. Cabem dentro dela nossas lembranças, nossas perguntas, nossas saudades. E o carrinho vai rodando cada vez mais leve, como por cima da música.

Folha [*de S.Paulo*], 28 de janeiro de 1964

Ares de Lindoia

Na verdade, eu devia falar de "águas de Lindoia", já que são elas que atraem toda esta gente. A palavra, que pareceria uma dessas invenções modernas para se dizer "lindeza" de outro jeito, significa apenas, segundo os entendidos, "água insípida, quente ao paladar". Os que a procuram são inúmeros, pois todos sofremos de alguma coisa, e esta "água insípida" tem uma vastíssima órbita de ação. Assim, os nervosos vêm procurar calma; os gordos esperam emagrecer e os magros engordar; os diabéticos, reumáticos, alérgicos e anêmicos deixarão aqui mergulhadas para sempre as suas mazelas, sem falar em tantas outras doenças de quantas o corpo humano pode abrigar em seus diversos compartimentos. Estamos, pois, cercados de gente esperançosa e otimista, que todos os dias desprende de si uma grande quantidade de impurezas e males, purificando-se pouco a pouco, até chegar a uma condição angélica ou pré-angélica. A minha pena é que nesse dia se vão embora e chegam outros, carregados de impurezas, de modo que não se consegue formar um grêmio celestial.

Mas, como eu dizia, não é das águas que pretendo falar. Passei apenas pelo balneário, lancei um olhar à piscina azul, onde se agitavam braços femininos e masculinos, crianças metidas em boias coloridas, crianças sem boias, tudo

232 ◆ Cecília Meireles

cercado por espectadores benevolentes e contemplativos, com seus copinhos de água na mão. Vi as cabinas de tratamento, observei, lá de cima, o jardim com seus canteiros ainda em formação, parece que conversamos da importância das termas na Antiguidade, e recordamos a hidroterapia na Renascença, e até citamos Montaigne. Tudo isso vagamente, pois em Lindoia o forasteiro é acometido de um torpor – dizem que é só nos primeiros dias, – de um torpor inefável que, quando não o prostra adormecido, mantém-no de pé mas completamente sonolento.

Os ares de Lindoia são verdes e azuis e cor de barro. Ocasionalmente aparece alguma nuvem branca, e às vezes todo um castelo de nuvens se forma, com aquela arquitetura barroca própria das nuvens. Ainda há pouco andei namorando um castelo desses; dentro em pouco troou daquelas ameias uma vigorosa artilharia e caíram dois ou três pingos de chuva, o suficiente para as mães lançarem aos filhos, que andavam lá fora, seus gritos de recolher. Nada mais. Evidentemente, os ares de Lindoia não prometem águas. Aqueles altos castelos dirigiram-se para o norte, com a mesma calma dignidade com que os patos e gansos, neste lago defronte à minha janela, rumam, ao anoitecer, para os seus abrigos.

Lindoia, certamente, é um lugar muito agradável. Aqui, as crianças – numerosíssimas – vivem debruçadas para o lago ou passeiam a cavalo ou em pequenas charretes coloridas. As que não alcançam estas últimas bem-aventuranças miram, cheias de inveja, as felizardas, e imploram aos pais: "Aquele que vai ali montado é muito menor do que eu! (E esperam que os pais se comovam.) Mas os pais continuam a olhar para além do horizonte, com olhos de pedra, como se estivessem também acompanhando os castelos de nuvens que acima descrevi, e que já se tornaram invisíveis, porque a tendência dos ares, em Lindoia, é para a limpidez.

Malgrado essa limpidez, os ares de Lindoia são levemente perturbados pelo fenômeno da inflação, que, segundo dizem, é um fenômeno nacional. Assim, de um dia para o outro sobe o preço dos cartões-postais, mercadorias nitidamente turísticas tanto quanto quase todo o comércio da pequena rua central: malas, maletas, bolsas, sacos e sacolas e lembranças que, conquanto sejam de Lindoia, conforme se vê escrito com letra caprichada, se dizem "do Oriente", em virtude da sua manufatura.

Estar em Lindoia é um modo fácil de esquecer a confusão das grandes cidades: regressa-se a uma espécie de infância da terra, diante destes barrancos, deste riozinho que a cantar se dirige para o lago; destes cavalos que com diferentes compassos sobem e descem as ladeiras; desta gente simples, simples, que fala com um acento que já não sei se é paulista ou mineiro, e se alegra a comer um bonito cacho de uvas.

É bom ficar-se algum tempo em Lindoia, mesmo sem a purificação das águas; apenas por esta tranquilidade que vem dos ares, hipnótica e benéfica. Mas é muito melhor (para o meu gosto) vir-se para Lindoia. O caminho lembra os mais belos campos da Europa, cuidadosamente cultivados, com pequenas barracas pela margem da estrada, onde as uvas se aglomeram em caixas, e melões e outras frutas nos falam da bondade do solo e do trabalho dos cultivadores. Esta paisagem honesta me reconcilia com o Brasil, fazendo-me esquecer mil coisas odiosas e abomináveis suspensas sobre o nosso povo. Depois de Jundiaí, aparecem mangueiras carregadas de frutos e uns cafezais tão bem plantados, tão bem nascidos, tão bem crescidos que me voltam as esperanças de ainda poder saborear, antes de deixar São Paulo, uma xícara de bom café. (Ai de mim e dos meus sonhos!)

Os ares de Lindoia são naturalmente pacíficos; mas há noites de muita dança e muita música e a moça do bazar me disse que o carnaval aqui é muito bom e que no ano passado ela se fantasiou de odalisca!

Folha [*de S.Paulo*], 11 de fevereiro de 1964

Janelas de hotéis

Quem sabe o que vamos encontrar quando, num hotel desconhecido, abrimos pela primeira vez a janela do quarto? Por detrás das cortinas, das vidraças, das venezianas, há uma inocente imagem desprevenida que se entrega aos nossos olhos – à nossa alma, afinal, – com a mais tranquila naturalidade.

Ó inesperadas imagens que assinalam o nosso primeiro encontro com uma cidade; que são como estampas de um livro de viagens subitamente aberto; que se tornam inesquecíveis e, muitas vezes, são o anúncio e a síntese de quanto iremos ver em nossas andanças pelas ruas, em nossa aproximação de pessoas e objetos.

Relembro a minha janela sobre o Central Park: tão alta, tão alta, que dava a medida do mundo vertiginoso a que pertencia. Mas o sossego das árvores, mas os vultos humanos que se moviam naquela profundidade, e que pareciam todos infantis, amenizavam os tumultos e ruídos: a vida era como submarina, distante e silenciosa. A altitude criava um clima de ausência, de renúncia, de isenção, como o que se experimenta nas viagens aéreas. Toda a enorme grandeza que se dissolvia, contemplada tão de cima. E a paz que resta, abolidos os fenômenos e as ilusões...

Uma janela de Amsterdã mostrava a cidade como um desenho finamente traçado, com suas torres, suas fachadas pontudas, delicados pormenores arquitetônicos... – e, no primeiro plano, um canal, um barco cheio de flores: o passado e o presente, a graça e o trabalho da vida holandesa, tudo aquilo que depois se vai descobrindo pouco a pouco e se pode chegar a amar profundamente.

Em Bombaim, uma janela onde crocitavam corvos: mas, de repente, a claridade matinal, a rua cheia de figuras coloridas, um carregador transportando à cabeça um grande tapete enrolado, outro com um tabuleiro de comidas, mulheres com sáris vermelhos flutuando à brisa e ao andar; turbantes, gorros, vestimentas ocidentais...

Em Calcutá, o sol vermelho, redondo, dardejante... O puxador de carrinhos a banhar-se num jorro d'água, na esquina. As casas ainda todas fechadas. Casas? Palácios. O barbeiro sentado na calçada, à oriental, à espera da freguesia.

Em Patna, a janela abria para um enorme terreiro. Havia flores de ervilha de todas as cores. E havia a grande mangueira sob a qual um grupo de crianças tranquilamente ouvia as histórias que uma mulher contava.

Oh! as janelas dos hotéis! As que abrem para pátios interiores, ou de serviço onde, às vezes, pode estar um automóvel desmantelado, ou por onde passam cozinheiros de altíssimos gorros brancos ou arrumadeiras saltitantes e maliciosas como se estivessem representando Molière...

Uma janela sobre um jardim chuvoso: plantas gotejantes, um silêncio de séculos e, por entre as frondes, uma pincelada de prata vagamente azulada: o mar de Tiberíades e toda a sua história!

Uma janela em Jerusalém: uma longa árvore seca e muito lá em cima um passarinho que canta. Oh! para quem? Para mim, que o escuto? para a cidade? para o mundo? para si mesmo? Um passarinho que canta, apenas.

Pensei nessas janelas e em muitas outras quando agora, ao correr a cortina, me encontrei diante de um pequeno claustro. Quem podia imaginar tal encontro, na cidade rumorosa, inquieta, trabalhadora, ansiosa, ambiciosa?

Um pequeno claustro com seus arcos, suas galerias, sua fonte, seus azulejos e balaustradas. Um adorável silêncio pousa com a brisa nas palmeiras, nos oleandros em flor, nas pequenas moitas de arbustos. Passarinhos e borboletas vão e vêm, param e passam. Às vezes, avista-se um jardineiro com o seu regador verde a borrifar as plantas. O relógio da torre bate cada quarto de hora. Às vezes, um carmelita oferece na palma da mão qualquer coisa para comer a uns macaquinhos que andam numa árvore. E à tardinha é certo que algum carmelita caminhe pelos quatro lados do claustro, atento ao seu breviário, com o planejamento do hábito oscilando largamente ao ritmo de seus passos.

Com a perspectiva desta janela, o claustro e seus personagens são uma verdadeira miniatura medieval. O tom amarelado da arquitetura é o de um pergaminho envelhecido. Pode ser que os passarinhos e as borboletas tragam de algum lugar as letras góticas que possam compor, nos espaços livres, palavras celestiais.

Folha [*de S.Paulo*], 18 de fevereiro de 1964

Passeio sobrenatural

Decerto é grande privilégio chegar às raízes do céu ateniense, a estas maciças e claras colunas da Acrópole, sentindo tão presente a ausente deusa. Andar por estas colinas, flutuar na transparência do dia; sonhar no casario branco, no ar azulado, a vida da cidade clássica; amar em cada mármore um pensamento, um sonho, um verso antigo; ter nas mãos a anêmona que a brisa vai bordando pelas encostas; passar pelos teatros antigos, ler a paisagem como um livro monumental, – é decerto uma felicidade que os olhos recebem como um favor divino.

Provar deste mal recendente, avistando o contorno do Himeto e pensando nas abelhas da Ática é fugir por um momento à inquietação melancólica dos tempos, volver a uma impossível simplicidade de alegria, de ingênuo descobrimento do mundo: "Possa tua boca amável encher-se de mel, encher-se de favos... pois teu canto supera o da cigarra..."

A noite toda é para Teócrito, para danças de pastores, para a transposição da mitologia em formas novas, generalizadas e afáveis; a noite é para idílios estilizados, com pão morno, queijo de cabra, maçãs, bananas e laranjas na fruteira opulenta, e prazeres divididos entre o acre vinho resinado e o doce vinho róseo; e lânguidas senhoras morenas, estátuas um pouco fatigadas e de olhos pesarosos que dançam como quem apenas sonha que dança, e jovens de saias rufadas, como de penas, que inventam ritmos próprios, aves palpitantes, saltitantes.

Tudo pode ser real e irreal, ao mesmo tempo: o ar está cheio de portas giratórias por onde se passa no mesmo minuto para outros séculos. Ruas escuras e sossegadas como de tranquilos bairros cariocas, vagas ruas de muros velhos, arbustos sem brilho, tudo como um desenho de cerâmica, meio apagado, e uma voz que vai dizendo: "... muitos maus são ricos, enquanto os bons são pobres; mas não trocaremos a nossa virtude pela sua riqueza, porque a virtude é um bem constante, enquanto que a riqueza, entre os homens, ora é de um, ora é de outro..."

Pensar que houve um tempo em que se discorria sobre a virtude! em que não era ridículo cantar-se: "Virtude! tu, que custas tantos esforços à raça dos mortais, conquista tão bela oferecida aos que vivemos! por tua beleza, ó virgem, os gregos acham sorte invejável morrer, e sofrer sem cansaço amargas penas, – tão precioso é o eterno fruto que lanças em nosso coração, mais estimável que riquezas ou antepassados ou repousante sono..."

Por estas portas mágicas penetraremos no dia nascente, assistiremos ao despertar dos mármores, a essa comovente ressurreição das colunas, das casas, dos degraus, das estátuas. Ouviremos passos de hoje, e pensaremos à nossa vontade em diálogos remotos: "Olha, Coridon, em nome de Zeus: foi um espinho que entrou aqui no meu pé..." "Quando vieres à montanha, Batos, não andes descalço, porque a montanha está cheia de espinheiros e tojo..."

E os véus azuis do dia vão sendo arregaçados pelo sol, e as claras ruas se alargam, e ficam longe os pastores, as fontes, a frauta agreste, os diálogos rústicos.

Passam moças gregas, morenas, belas, sérias, que seguem seu caminho vestidas com estas roupas de hoje, estas roupas simples e práticas. "Praxinoa, esse teu vestido de pregas te vai muito bem. Dize-me, a quanto te saiu o pano?" "Oh, nem me fales, Gorgo, a mais de duas minas de prata fina... E matei-me a fazê-lo..."

É assim pelas ruas, por entre os quiosques, por mais que estejam vendendo jornais em várias línguas, revistas, pequenos objetos de uso, postais, alguma lembrança turística.

É assim pelas casas de negócio, por mais que sejam modernas, que vendam, algumas, as mesmíssimas coisas que vemos por toda parte, as pequenas coisas cotidianas das lojas populares.

Mas de repente aparece o padeiro ambulante, com suas roscas, seus pães de vários feitios, e já é outro tempo, um tempo hospitaleiro, de gente sóbria, colhendo da terra o alimento fundamental. "Invocai Zeus subterrâneo e a casta Deméter, para que, ao amadurecer, a espiga do trigo sagrado de Deméter seja opulenta..."

E em seguida aparece o homem das esponjas, todo coberto por elas, como uma entidade marinha a passear entre os habitantes da terra esses despojos oceânicos. É uma vaga que vem do mar, que inunda a cidade, uma vaga que traz liras, barcas, sereias, monstros, feiticeiras, e Ulisses passa perto de nós, entre deuses e deusas.

Uma vaga que logo retorna, que abre caminho para os automóveis e todos os veículos do tráfego matinal de Atenas, e resvala pelo mar adentro e vai ficando cada vez mais azul, e toda se acalma nítida, e adormece, e fica sendo um espelho de safira: o límpido Pireu.

Folha [*de S.Paulo*], 19 de março de 1964

Semana Santa

Penso agora numa Semana Santa de Ouro Preto, recordo a melancolia das igrejas, na cidade contrita. Posso ver a multidão comprimir-se para assistir à Procissão do Encontro: no alto dos andores, o rosto da Virgem é uma pálida flor, e a cabeça de Cristo, inclinada, balança os cachos do cabelo ao sabor da marcha, com um ar dolente de quem vai por um caminho inevitável. O pregador começa a falar, explicando aquela passagem do Evangelho, exorta os fiéis à contemplação daquela cena, cuja significação mais profunda procura traduzir. Mas o povo já está todo muito comovido: as velhinhas choram, as crianças fazem um beicinho medroso e triste e as moças ficam pensativas, porque – embora em plano divino – os fatos se reduzem à desgraça cotidiana, que elas conhecem bem, de um Filho que vai morrer, e cuja Mãe não o pode salvar, e que ali se despedem, uma com o peito atravessado de punhais, outro com a sua própria cruz às costas. O povo é bom, o povo quereria que todas as mães e todos os filhos fossem felizes, e se pudessem socorrer, e não morressem nunca, e principalmente não morressem dessa maneira, pregados a cruzes transportadas nos próprios ombros.

O povo é bom, e sabe que o Cristo ressuscitará, o povo confia na Ressurreição, mas sua tristeza não é menor, por isso, e há lágrimas sinceras nos rostos simples que levantam o perfil para os andores parados na encruzilhada.

À descida da cruz, novamente a aflição dos fiéis, com o rosto banhado em lágrimas. Tudo foi há muito tempo, em termos sobre-humanos, eles o sabem: mas como se pode ver Nossa Senhora com seu terno Filho, assim despregado e em chagas, a resvalar para os seus braços consternados? Ah! o povo é bom e não pode deixar de comover-se com a Santa Tragédia, que, em termos humildes, é a sua tragédia de cada dia, com os braços infelizes estendidos para filhos martirizados.

Depois, à luz dos círios, na interminável procissão que sobe e desce pelas ladeiras, o povo, de olhos lutuosos, experimenta em seu coração aquele acontecimento duplamente emocionante, conhecendo-o também no plano terrenal, na angústia e no mistério da morte, a cada instante observada e sofrida. Pelas ruas, o povo bom acompanha o enterro do Justo, aguentando com fortaleza o cansaço do íngreme caminho; e pelas janelas, como pelas ruas, o povo bom participa daquela amargura, morre em seu coração daquela morte, aceita a sua condição humana, naquele lance final, depois de se ter preparado para ele através das provações anteriores, graves e acerbas.

Tudo isso enquanto as matracas fazem um acompanhamento surdo, tenebroso, ameaçador, e os cabelos da Madalena exibem sua amorosa beleza, e a voz que canta *O vos omnes* se eleva, pungente, na noite, fazendo chorar o povo bom, que tem suas dores tão grandes, tão grandes, mas decerto menores do que as daquela que pergunta: "Conheceis uma dor igual à minha?" – e expõe a Santa Verônica.

Oh, a dor dos pais pelos filhos! Abraão vai no cortejo, querendo descarregar a espada sobre Isaac, para provar a Deus sua devoção. Mas o anjo compadecido puxa-lhe a espada para cima. Não, não é preciso que ele sacrifique o menino que também vai carregando às costas o pequeno feixe de lenha do seu sacrifício: "Abraão, Abraão, não estendas a tua mão sobre o menino, e não lhe faças mal algum..." Deus é bom, o povo é bom, uma onda de bondade comove a noite inteira, das estrelas do céu até o fundo dos córregos...

Depois, é aquele amanhecer festivo de coisas claras e douradas, de cânticos felizes, de sinos, com todas as lágrimas enxutas, porque um dia todos os filhos serão felizes, nem Isaac será queimado no alto do monte nem Jesus crucificado; um dia todas as mães serão definitivamente jubilosas, e as velhinhas agradecem a Deus – há dois mil anos as velhinhas agradecem a Deus tanta bondade – e as moças sentem o coração dilatado de esperanças, e os anjinhos de procissão, que agora mal podem andar com suas grandes asas de penas brancas, os anjinhos que um dia vão ser crescidos, adultos e vão saber destes difíceis problemas de viver, de serem filhos e de serem pais, esses anjinhos, de pés cansados e carinhas alegres, comem os seus confeitos de Páscoa, ainda de asas e túnica, à beira das calçadas, no degrau das portas, em alguma ponta de muro...

O povo bom sofre uma vez por ano, intensamente, seu compromisso de ser bom, de ser melhor, cada dia mais, para sempre. O destino do homem é ser bom. Sua felicidade está em consegui-lo, mesmo – ou principalmente – sofrendo.

Folha [*de S.Paulo*], 31 de março de 1964

A sereiazinha

Em Copenhague, no lugar preferido pelo povo para os seus passeios, existia uma figura de bronze, obra do escultor Eriksen, representando uma pequena sereia pousada num rochedo. Com uma das mãos apoiada na pedra e a outra abandonada no regaço, ela contemplava, na sua casta nudez, este mundo incrível dos homens. Por trás dela perfilavam-se belos navios brancos e armações de altos guindastes. Ela estava ali, entre o céu, a terra e o mar e era uma das mais delicadas expressões de amor que se podia ter oferecido àquele gênio da bondade que se chamou Hans Christian Andersen, cujas histórias causaram a felicidade de milhões de crianças que as ouviram, no mundo inteiro, e certamente a dos adultos que as contaram.

A sereiazinha vivia no fundo do mar, no palácio do rei seu pai, em companhia de suas irmãs e de sua avó. Quando as pequenas sereias chegavam aos quinze anos, tinham permissão para subir à tona da água e contemplar o mundo dos homens. As irmãs não se encontraram muito com esse mundo; mas a sereiazinha caçula aprendeu com a sua avó que as sereias duram apenas três séculos e, ao morrer, tornam-se em espuma, enquanto que os seres humanos possuem uma alma imortal. A sereiazinha desejou possuir também uma alma assim. Mas

244 ✦ Cecília Meireles

era difícil; segundo o que lhe contara a avó, para possuir uma alma imortal, que um homem a amasse mais que aos seus próprios pais e, naturalmente, a desposasse. (Eu estou contando isto pelo prazer que me dá relembrar a linda história, mas na certeza de que todos os leitores a conhecem.)

Então a sereiazinha salva um príncipe de um naufrágio, e, para vir a encontrá-lo, mais tarde, no seu palácio, pede à feiticeira do mar que lhe transforme a cauda em pés humanos, pagando pelo serviço com a sua voz, e resignando-se à mudez.

No palácio, todos a acham linda. Mas que pode ela fazer, se não fala? O príncipe trata-a com uma delicada ternura de amigo; mas está noivo e em breve se casará... Oh! a sereiazinha não conseguirá possuir uma alma imortal! E também já não poderá voltar ao palácio submarino, não tornará à sua vida antiga: morrerá de um raio de sol e se transformará em simples espuma. A não ser que, segundo lhe vêm explicar as irmãs, que circundam o navio do príncipe, tenha a coragem de matá-lo, antes do amanhecer. Com o seu sangue tornará a adquirir sua cauda de sereia, não morrerá com o primeiro raio de sol, voltará para a sua família. (Sem a alma imortal, é certo, mas com cerca de trezentos anos de vida...)

Como todos sabem, a sereiazinha não foi capaz de matar o seu belo príncipe: aproximou-se do leito onde ele dormia, murmurando em sonho o nome da noiva, deu-lhe um beijo na testa, atirou a faca ao mar, lançou-se também às ondas e notou como a sua forma se dissolvia em espuma. Não sentiu, porém, que morria. Percebeu uma infinidade de formas aéreas, esvoaçantes, e essas formas falaram com ela, disseram-lhe que se as sereias, para possuírem uma alma imortal, precisavam de um amor humano, elas, filhas do ar, conquistavam uma alma imortal com seu próprio esforço, praticando o bem, protegendo a terra e os homens, sem dependerem desse amor que a sereiazinha em vão tentara merecer. E a sereiazinha pela primeira vez sentiu lágrimas nos olhos, e partiu pelo céu, com as filhas do ar, procurando alcançar a imortalidade pelas boas obras, talvez em menos de trezentos anos.

Sensíveis à maravilhosa invenção de Andersen, os dinamarqueses levantaram numa pedra esse monumento à sereiazinha: a menina vinda dos profundos abismos do mar desejosa de deixar a sua condição de sereia para possuir a alma eterna, e conseguindo, pela sua perfeita bondade, elevar-se a espírito dos ares, conquistando essa alma pelas boas ações.

Pois neste triste mundo dos homens, onde sofre a alma imortal, veio alguém e degolou agora a sereiazinha de bronze! Por quê? Por amor? Para ter em sua casa o suave rosto, de sereno perfil, de delicadas madeixas? Por ódio àquela que sofreu tanto para possuir a alma imortal? Ou por simples vadiação, pelo gosto de destruir, pelo mórbido prazer de desfazer o que os outros fizeram com ternura? Hans Christian Andersen, o gênio da bondade, teria enxugado uma lágrima nos seus olhos repletos de carinho mesmo pelos que outrora não o entendiam. Mas, não, embora degolada, a sereiazinha não morreu; há um século que sua figura invisível paira pelo céu, distribuindo benefícios pela humanidade. Tanta alegria tem dado a tanta gente que já conseguiu alcançar aquela alma imortal que pretendia.

Folha [*de S.Paulo*], 5 de maio de 1964

Jardins

Não posso esquecer os jardins da Índia: o do palácio do Governo, o da casa de Nehru e o do Haiderabad Palace, onde moravam os visitantes oficiais. Desenhos de canteiros entrelaçados de pequenos canais, jorros d'água, flores nunca vistas no Ocidente, trepadeiras perfumosas por cima dos muros, lagos com lótus: um primoroso mundo de cores que são pálidos retratos os mais deslumbrantes tapetes. E os jardins públicos, tão frequentados pelas famílias, com as crianças extasiadas diante de flores tão minuciosamente inventadas, e de pássaros mansos, que não receiam nenhuma agressão, e não abandonam os seus lugares quando alguém aparece.

Não posso esquecer também as flores extraordinárias da Holanda, de cores imprevistas, de inesperado tamanho, e que estão sempre às janelas, sob o ângulo das cortinas cruzadas, como estão até nas repartições públicas e em certas vitrinas, compondo quadros surpreendentes: quem pode esperar que um açougueiro exponha uma peça de carne colocando-a, com grande sensibilidade artística, ao lado de um vaso de flores revoltas, que logo nos fazem pensar em Van Gogh?

Na Holanda, como no Oriente, há quem saiba verdadeiramente amar as flores. Em algumas cidades, as paredes que margeiam os canais têm espaços para flores: por lá ficaram muitas vezes meus olhos, encantados com essa delicadeza, esse amor, esse respeito. Alguém ousará jamais tocar nas pequenas flores dos canais da Holanda?

Muita gente prefere, nos Estados Unidos, as grandes cidades, com suas construções gigantescas, o cimento e o aço sustentando a imponência de arranha-céus e pontes, na orgulhosa demonstração do que o homem é capaz de construir. Mas, nas cidades menores, há milhares de jardins deliciosos, com as mais variadas flores e ainda as experiências de flores novas de que as pessoas se ocupam com o maior carinho.

Os jardins do Rio vão tristemente desaparecendo. As casas que os possuíam vão sendo substituídas por outras construções e cada palmo de terra anda tão valorizado que é difícil encontrar quem o defenda para domicílio de uma planta. Assim, quem amar flores venha contemplar nas vitrinas das lojas essas frágeis maravilhas que brilham tão poucos dias mas nos causam alegrias imortais. E não moram apenas nos olhos tais alegrias, mas na memória profunda, de onde às vezes assomam, com a cor, o perfume, a graça que lhes pertenceram. A sensação de beleza, o sentimento de perfeição que residem na harmoniosa arquitetura das flores são lições para a vida humana. Pudéssemos ser também assim, tão exatos como as flores em suas pétalas, tão silenciosos na realização de um destino impecável, e tão prontos para morrer no momento justo! Pudéssemos nós dispor dessa capacidade de comunicação tranquila, desse dom de mensagem sobrenatural que as flores possuem e que nos arrebatam deste mundo superficial e nos transferem para lugares mais distantes, mais altos, de onde avistamos tantas paisagens humanas e divinas!

Tudo isto me ocorre porque estou diante de uma flor. De uma simples flor, fiel à sua genealogia, à sua linguagem, ao seu prazo de vida. O momento da sua duração tem muitas profundidades: túneis que me levam para muitos lugares, muitas pessoas, em tempos diferentes. Enquanto admiro a flor solitária, e justamente a posso admirar melhor pela sua solidão, vem-me à lembrança a história do japonês que cultivava crisântemos. (Isso foi num jardim do passado, um jardim muito longe, cuja realidade já se converteu em símbolo.) Estava o jardim cheio de crisântemos, de tal maneira cheio e com tais crisântemos, que um homem da corte, ao vê-lo, cai em deslumbramento, e avisa o jardineiro de que vai trazer o próprio imperador para admirar as suas flores.

Vem, pois, o imperador admirar os crisântemos de um jardim. Lamento não poder descrever a sua chegada, com o seu séquito, com todo o belo cerimonial que deve cercar um imperador que, ao invés de pensar em batalhas, guerras, sangue, majestosamente se dirige para esse jardim de cujas flores teve notícia. Imaginem os senhores tudo isso, e a curiosidade dos que o rodeiam, e o antecipado prazer desse instante de beleza que cada um deseja e adivinha.

Mas o jardineiro pensou que aquela profusão de flores era excessiva, e impediria a visão exata da beleza de cada uma. E tranquilamente foi cortando as menos perfeitas, e deixou uma única, a mais bela, a mais digna de ser admirada pelo seu Imperador.

Assim estou (guardadas todas as distâncias), diante da minha flor solitária, que resume, na sua simples presença, muitos ramos, muitos jardins, muitos campos floridos. E contemplo-a com muito amor, porque amanhã certamente já teremos outro rosto; e ela não sabe, mas eu sei o que é sobre qualquer rosto, a passagem de cada dia.

Folha [*de S.Paulo*], 16 de maio de 1964

Por amor a Ouro Preto

Todos os que amam o Brasil devem neste momento unir sua voz à do poeta Carlos Drummond de Andrade e a quantos porventura, antes dele, tenham levantado um apelo em favor de Ouro Preto, ameaçada de desabamento por muitas causas, provavelmente ainda remediáveis.

Ouro Preto não é um caso mineiro, mas um caso nacional. Por isso, não só os de Minas, mas os de todos os pontos do país devem estar voltados para essa tradicional cidade que parece não ter conquistado, com a sua glorificação de cidade--museu, os meios adequados à necessária preservação da sua própria existência.

O Brasil começa a pensar em turismo, e o pouco turismo que se tem procurado fazer no Brasil obrigatoriamente inclui a cidade de Ouro Preto. Não seria, pois, compreensível que, ao incentivar-se o turismo, não se desse à maravilhosa cidade a assistência de que ela carece para continuar a existir.

No entanto, o turismo seria a menos superior das razões para se defender e proteger Ouro Preto. Com ele ou sem ele, Ouro Preto é, antes e acima de tudo, uma cidade tradicional, histórica e esteticamente enraizada na vida brasileira, o berço da nossa liberdade, o cenário em que mais completamente se esboçou a nossa independência.

Que tão importante movimento político tivesse vivido em sonho, "quimeras" e "aéreas palavras" nessas ladeiras de Vila Rica, seria o bastante para que os homens de hoje, ao renunciarem o passado, e cheios de gratidão pelos que participaram de tais acontecimentos, vissem em Ouro Preto o seu altar cívico, tão bem representado, aliás, na simplicidade da sala dos inconfidentes, no museu da cidade.

Acontece, porém, que os principais vultos do inconsistente movimento de independência pagaram preço muito alto pela sua tentativa de realizar uma pátria. Se apenas um perdeu a vida supliciado em praça pública, para escarmento dos que ousam pensar em liberdade, os outros foram supliciados mais longe, em exílios igualmente fatais. O aparato processional da morte de Tiradentes e o espetáculo do seu patíbulo não apagam completamente esses sofrimentos obscuros das outras vítimas, nos seus penosos degredos, afinal a vida abreviada em lugares inóspitos. Tudo foram penas de morte, atenuadas pela distância, adiadas por esperanças confusas e sem êxito.

E acontece que alguns desses vultos foram os melhores intelectuais do seu tempo, os mais finos poetas mesmo da língua portuguesa, como Cláudio Manuel da Costa e Gonzaga e Alvarenga. E que Ouro Preto, essa famosa Vila Rica, foi um cenário completo para essas intrigas políticas, para o suborno, a truculência governamental e o arbítrio, a lisonja, a corrupção, a velhacaria de que as *Cartas Chilenas* são o admirável relato, o comentário sarcástico e o protesto exemplar. Até nisso Ouro Preto nos deixou uma herança preciosa, avisando-nos dos perigos que estão constantemente suspensos sobre o povo, na ponta dos caprichos daqueles que o governam.

E como vamos deixar morrer Ouro Preto, a dos nossos primeiros poetas, a dos nossos inconfidentes, a do Aleijadinho com suas estátuas e peças arquitetônicas, a das preciosas igrejas com suas superpostas decorações, seus anjos, suas colunas, seus altares, seus tetos, sua música?

E como deixaremos desaparecer Ouro Preto com seus sinos, suas procissões, seus passos, sua Semana Santa, seus círios acesos pelas ladeiras da noite, seu pálio esplêndido na claridade festiva da manhã?

E como vamos esquecer essas fontes pelas esquinas, pelas praças, e essas casas coloridas com seus rostos de retrato de família, suas janelas de vidros graciosos, seus muros, sua delicada melancolia?

Precisamos salvar Ouro Preto, de qualquer maneira. Que os ônibus e os caminhões compreendam que aquilo é terra sagrada, que não se pode estreme-

Crônicas de viagem 3 ✦ 251

cer assim impunemente. E que venham os engenheiros e todos os que são conhecedores e sabedores, mas sobretudo capazes de amor, e façam seus planos, e ensinem e trabalhem, e restituam a Ouro Preto a certeza da sua continuação.

Nenhum de nós pode ficar tranquilo diante dessa ameaça da sua destruição. Não se perderia apenas uma cidade: mas tudo isso que ela representa: sonho, poesia, tragédia, liberdade, sátira, beleza, fé... Quem pode perder tudo isso de repente sem ficar de coração partido?

São Paulo, 1º de setembro de 1964

Cronologia

1901

A 7 de novembro, nasce Cecília Benevides de Carvalho Meirelles, no Rio de Janeiro. Seus pais, Carlos Alberto de Carvalho Meirelles (falecido três meses antes do nascimento da filha) e Mathilde Benevides. Dos quatro filhos do casal, apenas Cecília sobrevive.

1904

Com a morte da mãe, passa a ser criada pela avó materna, Jacintha Garcia Benevides.

1910

Conclui com distinção o curso primário na Escola Estácio de Sá.

1912

Conclui com distinção o curso médio na Escola Estácio de Sá, premiada com medalha de ouro recebida no ano seguinte das mãos de Olavo Bilac, então inspetor escolar do Distrito Federal.

1917

Formada pela Escola Normal (Instituto de Educação), começa a exercer o magistério primário em escolas oficiais do Distrito. Estuda línguas e em seguida ingressa no Conservatório de Música.

1919

Publica o primeiro livro, *Espectros*.

1922

Casa-se com o artista plástico português Fernando Correia Dias.

1923

Publica *Nunca mais... e Poema dos poemas*. Nasce sua filha Maria Elvira.

1924

Publica o livro didático *Criança meu amor...* Nasce sua filha Maria Mathilde.

1925

Publica *Baladas para El-Rei.* Nasce sua filha Maria Fernanda.

1927

Aproxima-se do grupo modernista que se congrega em torno da revista *Festa.*

1929

Publica a tese *O espírito vitorioso.* Começa a escrever crônicas para *O Jornal,* do Rio de Janeiro.

1930

Publica o ensaio *Saudação à menina de Portugal.* Participa ativamente do movimento de reformas do ensino e dirige, no *Diário de Notícias,* página diária dedicada a assuntos de educação (até 1933).

1934

Publica o livro *Leituras infantis,* resultado de uma pesquisa pedagógica. Cria uma biblioteca (pioneira no país) especializada em literatura infantil, no antigo Pavilhão Mourisco, na praia de Botafogo. Viaja a Portugal, onde faz conferências nas Universidades de Lisboa e Coimbra.

1935

Publica em Portugal os ensaios *Notícia da poesia brasileira* e *Batuque, samba e macumba.*

Morre Fernando Correia Dias.

Nomeada professora de literatura luso-brasileira e mais tarde técnica e crítica literária da recém-criada Universidade do Distrito Federal, na qual permanece até 1938.

1937

Publica o livro infantojuvenil *A festa das letras,* em parceria com Josué de Castro.

1938

Publica o livro didático *Rute e Alberto resolveram ser turistas.* Conquista o prêmio Olavo Bilac de poesia da Academia Brasileira de Letras com o inédito *Viagem.*

1939

Em Lisboa, publica *Viagem*, quando adota o sobrenome literário Meireles, sem o *l* dobrado.

1940

Leciona Literatura e Cultura Brasileiras na Universidade do Texas, Estados Unidos. Profere no México conferências sobre literatura, folclore e educação.

Casa-se com o agrônomo Heitor Vinicius da Silveira Grillo.

1941

Começa a escrever crônicas para *A Manhã*, do Rio de Janeiro. Dirige a revista *Travel in Brazil*, do Departamento de Imprensa e Propaganda.

1942

Publica *Vaga música*.

1944

Publica a antologia *Poetas novos de Portugal*. Viaja para o Uruguai e para a Argentina. Começa a escrever crônicas para a *Folha Carioca* e o *Correio Paulistano*.

1945

Publica *Mar absoluto e outros poemas* e, em Boston, o livro didático *Rute e Alberto*.

1947

Publica em Montevidéu *Antologia poética (1923-1945)*.

1948

Publica em Portugal *Evocação lírica de Lisboa*. Passa a colaborar com a Comissão Nacional do Folclore.

1949

Publica *Retrato natural* e a biografia *Rui: pequena história de uma grande vida*. Começa a escrever crônicas para a *Folha da Manhã*, de São Paulo.

1951

Publica *Amor em Leonoreta*, em edição fora de comércio, e o livro de ensaios *Problemas da literatura infantil*.

Secretaria o Primeiro Congresso Nacional de Folclore.

1952

Publica *Doze noturnos da Holanda & O Aeronauta* e o ensaio "Artes populares" no volume em coautoria *As artes plásticas no Brasil*. Recebe o Grau de Oficial da Ordem do Mérito, no Chile.

1953

Publica *Romanceiro da Inconfidência* e, em Haia, *Poèmes*. Começa a escrever para o suplemento literário do *Diário de Notícias*, do Rio de Janeiro, e para *O Estado de S. Paulo*.

1953-1954

Viaja para a Europa, Açores, Goa e Índia, onde recebe o título de Doutora *Honoris Causa* da Universidade de Delhi.

1955

Publica *Pequeno oratório de Santa Clara, Pistoia, cemitério militar brasileiro* e *Espelho cego*, em edições fora de comércio, e, em Portugal, o ensaio *Panorama folclórico dos Açores: especialmente da Ilha de S. Miguel*.

1956

Publica *Canções* e *Giroflê, giroflá*.

1957

Publica *Romance de Santa Cecília* e *A rosa*, em edições fora de comércio, e o ensaio *A Bíblia na poesia brasileira*. Viaja para Porto Rico.

1958

Publica *Obra poética* (poesia reunida). Viaja para Israel, Grécia e Itália.

1959

Publica *Eternidade de Israel*.

1960

Publica *Metal rosicler*.

1961

Publica *Poemas escritos na Índia* e, em Nova Delhi, *Tagore and Brazil*.

Começa a escrever crônicas para o programa *Quadrante*, da Rádio Ministério da Educação e Cultura.

1962

Publica a antologia *Poesia de Israel*.

1963

Publica *Solombra* e *Antologia poética*. Começa a escrever crônicas para o programa *Vozes da cidade*, da Rádio Roquette-Pinto, e para a *Folha de S.Paulo*.

1964

Publica o livro infantojuvenil *Ou isto ou aquilo*, com ilustrações de Maria Bonomi, e o livro de crônicas *Escolha o seu sonho*.

Falece a 9 de novembro, no Rio de Janeiro.

1965

Conquista, postumamente, o Prêmio Machado de Assis da Academia Brasileira de Letras, pelo conjunto de sua obra.

Conheça outros títulos de Cecília Meireles pela Global Editora

Viagem

Viagem representa um momento de ruptura e renovação na obra poética de Cecília Meireles. Até então, sua poesia ainda estava ligada ao neossimbolismo e a uma expressão mais conservadora. O novo livro trouxe a libertação, representando a plena conscientização da artista, que pôde a partir de então afirmar a sua voz personalíssima: "Um poeta é sempre irmão do vento e da água:/ deixa seu ritmo por onde passa", mesmo que esses locais de passagem existam apenas em sua mente.

Encontro consigo mesma, revelação e descoberta, sentimento de libertação, desvio pelas rotas dos sonhos, essa *Viagem* se consolida numa série de poemas de beleza intensa que, por vezes, tocam os limites da música abstrata.

Estou diante daquela porta
que não sei mais se ainda existe...
Estou longe e fora das horas,
sem saber em que consiste
nem o que vai nem o que volta...
sem estar alegre nem triste.

Romanceiro da Inconfidência

A literatura brasileira está repleta de obras em prosa romanceando acontecimentos históricos. Mas uma das mais brilhantes delas é, certamente, o *Romanceiro da Inconfidência*, iluminado pela poesia altíssima de Cecília Meireles. O poema (na verdade formado por vários poemas que também podem ser lidos isoladamente) recria os dias repletos de angústias e esperanças do final da década de 1780, em que um grupo de intelectuais mineiros sonhou se libertar do domínio colonial português, e o desastre que se abateu sobre as suas vidas e a de seus familiares.

Utilizando a técnica ibérica dos romances populares, a poeta recria com intensa beleza o cotidiano, os conflitos e os anseios daquele grupo de sonhadores. Diante dos olhos do leitor surgem as figuras de Tomás Antônio Gonzaga, Cláudio Manuel da Costa, e, se sobressaindo sobre todos, o perfil impressionista de Tiradentes, retratado como um Cristo revolucionário, tal a imagem que se modelou a partir do século XIX e se impôs até nossos dias.

Como observa Alberto da Costa e Silva no prefácio, "com a imaginação a adivinhar o que não se mostra claro ou não está nos documentos, Cecília Meireles recria poeticamente um pedaço de tempo e, ao lhe reescrever poeticamente a história, dá a uma conspiração revolucionária de poetas, num rincão montanhoso do Império português, a consistência do mito".

Antologia poética

Nesta *Antologia poética*, podemos apreciar passagens consagradas da encantadora rota lírica de Cecília Meireles. Escolhidos pela própria autora, os poemas aqui reunidos nos levam a vislumbrar diferentes fases de sua vasta obra. Pode-se dizer, sem sombra de dúvidas, que o livro é uma oportunidade ímpar para se ter uma límpida visão do primor de seus versos. Cecília, por meio de uma erudição invejável, cria composições com temas como amor e saudade, que se revestem de uma força tenazmente única.

Nesta seleção de sua obra poética, Cecília elenca versos de outros livros fundamentais, como *Viagem*, *Vaga música*, *Mar absoluto e outros poemas*, *Retrato natural*, *Amor em Leonoreta*, *Doze noturnos da Holanda*, *O Aeronauta*, *Pequeno oratório de Santa Clara*, *Canções*, *Metal rosicler* e *Poemas escritos na Índia*. Como não poderia deixar de ser, a antologia também traz excertos centrais de seu *Romanceiro da Inconfidência*, livro essencial da literatura brasileira.

De posse do roteiro seguro que é esta antologia de poemas de Cecília Meireles, o leitor apreciará as sensibilidades de uma das maiores timoneiras do verso em língua portuguesa.

GRÁFICA PAYM
Tel. [11] 4392-3344
paym@graficapaym.com.br